Le Flambeur de la Caspienne

DU MÊME AUTEUR

Romans
Les Trois Femmes du Consul, Flammarion, 2019.
Les sept vies d'Edgar et Ludmilla, Gallimard, 2019 ; Écoutez lire, 2019.
Le Suspendu de Conakry, Flammarion, 2018 ; Écoutez lire, 2018 ; Folio, 2019.
Le Tour du monde du roi Zibeline, Gallimard, 2017 ; Écoutez lire, 2017 ; Folio, 2018.
Check-Point, Gallimard, 2015 ; Écoutez lire, 2015 ; Folio, 2016.
Les enquêtes de Providence, Folio, 2015.
Le Collier rouge, Gallimard, 2014 ; Écoutez lire, 2014, 2015 ; Folio, 2015.
Immortelle randonnée : Compostelle malgré moi, Guérin, 2013 ; Audiolib, 2013 ; Gallimard, 2013 ; Folio, 2014.
Le Grand Cœur, Gallimard, 2012 ; Écoutez lire, 2013 ; Folio, 2014.
Sept histoires qui reviennent de loin, Gallimard, 2011 ; Folio, 2012 ; Étonnants classiques, 2016, sous le titre *Les naufragés et autres histoires qui reviennent de loin*.
Katiba, Flammarion, 2010 ; Folio, 2011.
Le Parfum d'Adam, Flammarion, 2007 ; Folio, 2008.
La Salamandre, Gallimard, 2005 ; Folio, 2006.
Globalia, Gallimard, 2003 ; Folio, 2005.
Rouge Brésil, Gallimard, 2001. Prix Goncourt ; Folio, 2003 ; 2014.
Les Causes perdues, Gallimard, 1999. Prix Interallié ; Folio, sous le titre *Asmara et les causes perdues*, 2001.

(suite en fin de volume)

Jean-Christophe Rufin
De l'Académie française

Le Flambeur
de la Caspienne

Flammarion

978-2-0814-2847-8
© Flammarion, 2020.

I

Tout était trop parfait et Aurel, habitué à la méchanceté des hommes, n'osait pas croire à son bonheur.

Il était arrivé la veille au soir pour prendre son nouveau poste et voilà que ce matin, il était attablé à la terrasse d'un café, un vrai café tout pareil à ceux de France ou d'Italie, avec son store rouge, ses chaises en osier, ses tables rondes à pied en fonte. Dans une tasse en porcelaine épaisse moussait un double crème tandis que de l'intérieur de l'établissement venaient de bonnes odeurs d'arabica moulu et de viennoiseries. Des serveurs en tablier blanc et gilet à poches bavardaient avec des airs insolents. Les grands arbres d'un joli square bruissaient dans le vent tiède et, au loin, on apercevait la colonnade néoclassique du théâtre des marionnettes.

Aurel, incrédule, secouait la tête et se répétait mentalement : « Non, je ne suis pas à Paris. Cette

ville s'appelle Bakou ; c'est la capitale de l'Azerbaïdjan, et moi, Aurel Timescu, consul adjoint,
je suis affecté ici pour trois ans selon toutes les
procédures régulières. »

Le dénommé Prache, son persécuteur au service des ressources humaines, l'avait convoqué en
personne au Quai d'Orsay pour lui annoncer
méchamment la nouvelle. Faute de pouvoir
débarquer Aurel car il était titulaire, Prache espérait le dégoûter en lui faisant enchaîner les postes
minables dans des pays où personne ne voulait
aller. Il choisissait toujours pour lui des capitales
brûlées par le soleil (Aurel détestait la chaleur), si
possible dans des pays musulmans (il n'était pas
réputé pour son abstinence) et sous des régimes
totalitaires (il avait fui sa Roumanie natale pour
échapper à Ceausescu et gardait une solide aversion pour la dictature).

Sur le papier, l'Azerbaïdjan semblait convenir
à ce dessein pervers. En lui annonçant son affectation, Prache s'était payé le luxe de détailler le
tableau.

— Il paraît que c'est un pouvoir policier
comme vous les aimez. Avec culte de la personnalité et tout et tout...

Aurel avait secoué la tête en souriant, pour ne
pas perdre la face.

— Vous allez apprécier, j'en suis sûr. Écoutez ça : islam religion d'État, latitude tropicale, climat désertique. Le pays est coincé entre la Russie et l'Iran, des voisins charmants. Au fait, j'oubliais un détail : il est en guerre, hé ! hé ! Avec l'Arménie, leur troisième voisin.

Aujourd'hui, en sirotant son café-crème, c'était au tour d'Aurel de ricaner. Il regardait les nuages qui s'étiraient au-dessus de la place. Ils n'avaient rien à voir avec les gros cumulus noirs qui foncent sur les pays tropicaux à la saison des pluies. C'étaient de petits nuages bien élevés, discrets, juste assez épais pour atténuer l'ardeur du soleil sans cacher le bleu du ciel. Cet imbécile de Prache avait eu bien tort de prendre pour argent comptant ce qu'il avait lu dans les dépêches. Les diplomates font tout pour préserver les avantages pécuniaires que leur valent les pays « difficiles » ; ils noircissent volontiers le tableau quand il s'agit de décrire leurs conditions de vie.

Ce qu'Aurel découvrait, et que ni lui ni son tortionnaire n'avaient imaginé, c'était une ville ressemblant au centre de Paris, avec ses immeubles en pierre de taille joliment sculptés, ses balcons soutenus par des cariatides, ses linteaux ornés de guirlandes, ses portes surmontées de frontons élégants. Lorsque le pays, à la fin du

XIXe siècle, avait connu son premier boom pétrolier, il était allé chercher en Europe ses modèles architecturaux. Autour de la vieille citadelle ottomane s'était édifié un « Petit-Paris » haussmannien qui rappelait à Aurel celui de Bucarest. Ainsi se trouvaient réunies pour son plus grand bonheur les deux villes qu'il aimait le plus au monde : celle où il avait grandi et celle où il avait trouvé refuge.

Tout cela le remplissait d'aise. En même temps, il ne parvenait pas à y croire. Une telle méprise serait nécessairement découverte. Un télégramme allait arriver pour le rappeler et l'envoyer dans une contrée inhabitable. Il n'osait pas trop se réjouir. L'ange du malheur qui le poursuivait depuis si longtemps s'était peut-être assoupi : il n'allait pas tarder à se réveiller et à corriger son erreur.

Pour en avoir le cœur net, le mieux était de se rendre au plus tôt à l'ambassade. Il régla son café et, sur les indications d'un serveur, prit à pied la direction de la représentation diplomatique française. Il longea de luxueuses vitrines, emprunta des trottoirs impeccablement balayés, ombragés par de grands arbres. En ce début de septembre, l'air était rafraîchi par une brise venue de la mer Caspienne. Ce climat évoquait les fins d'été en Roumanie. Les femmes qu'il rencontrait étaient encore légèrement vêtues. Il n'avait quant à lui rien changé à sa tenue habituelle : costume en laine marron à veston croisé, manteau en tweed qui lui arrivait aux chevilles et nœud papillon bordeaux noué par ses soins. Cet accoutrement, qui lui valait d'habitude, en particulier en Afrique, d'être suivi par des meutes de gamins rigolards, ne semblait susciter ici aucune réaction. Il se retournait de temps en temps pour surprendre un sourire goguenard, une expression ironique, mais ne découvrait rien de tout cela. Il en était presque déçu.

L'ambassade occupait un grand bâtiment entouré de balcons en fer forgé qui n'aurait pas déparé au Trocadéro. Sitôt franchi le grand portail en bois sculpté, Aurel se retrouva dans un sas vitré. Derrière une glace sans tain, il sentit que quelqu'un l'observait. Les yeux dans le vague, il prit l'air stupide qu'il était recommandé de conserver lors des interrogatoires de la Securitate communiste. Machinalement, du plat de la main, il caressa son crâne dégarni, comme s'il remettait en place la mèche de sa jeunesse, depuis longtemps disparue. Enfin, un loquet électrique se déclencha et il put pousser la porte du sas. Il se trouva aussitôt nez à nez avec un gendarme français en chemise bleue, qui lui barrait le chemin. Sa carrure de colosse cachait un vaste hall, au fond duquel on distinguait les premières marches d'un escalier d'honneur tapissé de rouge.

— Je suis le nouveau Consul adjoint, bredouilla Aurel.

— Monsieur Timescu ! prononça le gendarme avec gravité.

Aurel avait acquis dans sa jeunesse une telle horreur des uniformes qu'il eut envie de tourner les talons et de s'enfuir. Mais au même instant, le visage du militaire s'éclaira d'un grand sourire.

— Soyez le bienvenu.

Avec stupeur, Aurel regarda l'énorme main carrée que lui tendait le gendarme. Il eut un moment d'hésitation avant de déposer dans cet étau ses doigts de pianiste. Mais, avec une douceur inattendue, le gendarme fit un usage délicat de la patte de souris qu'Aurel lui avait confiée. Après l'avoir enveloppée d'une sorte de caresse tiède, il la lui rendit intacte.

— Tout le monde se demandait où vous étiez passé, dit le planton, tandis qu'il décrochait un téléphone dans le poste de garde. Quand êtes-vous arrivé ?

— Hier.

— Dimanche ! Ah, c'est pour ça qu'on ne vous a pas trouvé samedi. Ils étaient allés vous accueillir à l'aéroport.

— M'accueillir ?

Jamais, dans toute sa carrière consulaire, personne ne s'était préoccupé d'accueillir Aurel. Bakou était vraiment un poste extraordinaire. Au lieu de s'en réjouir, il sentit redoubler sa peur que tout cela ne fût que le prélude à une catastrophe.

— Allô ! Amélie ? Il est là. Qui ? Mais Timescu lui-même. Je te l'amène.

Digne comme un bedeau de cathédrale, le gendarme entraîna Aurel dans des couloirs à la peinture blanche défraîchie. Ils empruntèrent un passage de service comme on en trouve dans les immeubles bourgeois en France.

— Le grand escalier, précisa le gendarme d'une voix sourde, c'est pour l'ambassadeur et les visiteurs de marque.

— Vous recevez beaucoup de visites officielles ?

Essoufflé par la montée, Aurel n'avait pas contrôlé sa voix.

— Chut ! Parlez doucement, je vous prie.

— Pourquoi ? Il y a des gens qui dorment ?

Aurel s'en voulut de cette remarque étourdie. Le gendarme se retourna d'un bloc et il prit un air grave.

— La morte, monsieur ! prononça-t-il, le doigt levé. Il faut respecter la morte. La Consule vous expliquera.

Il reprit son ascension sans qu'Aurel osât poser une autre question. Ils débouchèrent sur un vaste palier qui donnait sur une cour par une baie vitrée circulaire. Une très jeune femme les attendait et avança vers eux.

— Bonjour, monsieur Timescu, dit-elle en le regardant bien en face. Je suis Amélie Laugier.

Blonde, les cheveux relevés en un chignon lâche, elle pouvait avoir vingt-cinq ans, tout au plus. Ses yeux, d'un bleu de porcelaine, la faisaient paraître plus jeune encore.

— Appelez-moi Aurel, je vous en prie.

En de telles circonstances, il aurait exécuté un baisemain. Cependant, cette fille était si jeune qu'il sentit une certaine familiarité à son égard et perçut vaguement ce qu'un tel geste aurait eu de déplacé. Il ne se résolut pas pour autant à lui serrer franchement la main. Le résultat fut une sorte de courbette pendant laquelle, après avoir agrippé la main d'Amélie, il la tira vers le bas et l'agita presque au ras du sol. Elle manqua de perdre l'équilibre mais sourit avec indulgence.

— Vous devez être très fatigué, suggéra-t-elle par politesse et peut-être aussi pour trouver une explication à ce comportement singulier.

Aurel se dit qu'elle devait lui donner plus que son âge. S'il n'avait qu'une petite cinquantaine, son accoutrement lui en faisait paraître bien davantage. Il se dit aussi qu'elle ne devait pas être prévenue contre lui ; elle ne s'attendait visiblement pas aux bizarreries de comportement qui n'auraient pas surpris des fonctionnaires mieux informés.

— Merci, Jean-Louis, lança-t-elle à l'attention du gendarme. Je vais m'occuper de M. Timescu.

Sur quoi elle entraîna son nouvel adjoint dans un bureau qui donnait sur la rue.

Ils s'assirent l'un en face de l'autre.

— Le télégramme qui annonçait votre arrivée n'était pas clair. Je vous ai attendu un jour trop tôt. Vous m'en voyez désolée.

Aurel agita la main pour chasser ce souvenir. Il se garda de dire que personne ne lui avait jamais témoigné pareil égard.

Amélie lui exposa en quelques mots la mission du service consulaire dont elle était la cheffe et où Aurel aurait à l'assister comme adjoint. Il ne retenait pas ses paroles mais s'imprégnait des impressions confuses que produisaient en lui ce nouveau lieu et cette patronne bienveillante. Il était clair qu'elle l'abordait sans esprit hiérarchique. On percevait la légère compassion que pouvait susciter aux yeux d'une jeune diplômée le parcours modeste d'un homme entré dans la diplomatie par la toute petite porte. Le fait qu'il

15

n'eût pas progressé malgré son ancienneté aurait dû l'alerter, mais elle n'y voyait apparemment qu'un motif supplémentaire de ménager cet aîné moins chanceux que d'autres.

— L'Ambassadeur est en déplacement en France en ce moment. Il ne rentre que dans une semaine. D'ici là, vous pouvez profiter de ce temps pour vous installer. Votre prédécesseur vous a laissé son appartement comme vous le savez.

Aurel vit dans ce délai l'occasion d'avancer dans l'écriture de l'oratorio qu'il avait commencé depuis son entrevue avec Prache. Après le *lacrimosa* que cette brute lui avait inspiré, il allait pouvoir passer à un *allegro sostenuto*.

— Aujourd'hui, je vais seulement vous présenter à l'équipe et vous faire visiter les locaux.

Amélie l'entraîna à sa suite vers le palier.

— C'est une petite ambassade, vous allez voir. Dans la cour, en bas, se trouvent le service culturel et une médiathèque. Au-dessus, la résidence de l'Ambassadeur occupe tout le dernier étage. La chancellerie et les services consulaires sont ici.

Ils passèrent de bureau en bureau. Ils saluèrent l'attaché de défense, un colonel sec et raide mais qui se montra très chaleureux, le chef d'antenne de la DGSE, qui opérait sous une couverture diplomatique transparente. C'était un homme assez jeune, déjà marqué par l'embonpoint et au regard fuyant. Suivirent toute une procession d'attachés et de secrétaires, la plupart recrutés locaux, qui réservèrent à Aurel un accueil souriant. Seul le premier conseiller, un jeune diplomate qu'ils dérangèrent pendant qu'il téléphonait, se montra distant et presque désagréable. Aurel mit cela sur le compte de l'inexpérience. Les débutants dans la carrière ont toujours un peu de mal à doser le mépris dont leur profession leur enseigne à faire usage.

Le bureau de l'ambassadeur était fermé pendant son absence. Ils allèrent saluer sa secrétaire, une Azérie nommée Azelma. C'était une forte femme avec de grands yeux entourés de cernes noirs. Elle se tenait immobile, les mains croisées sur la poitrine. Derrière elle, une jeune fille brune, l'air craintif, s'affairait sur un clavier. Il régnait dans la pièce une atmosphère de harem. On aurait dit la sultane et une de ses servantes.

Dans cette partie de l'étage, une vaste salle d'attente desservait les pièces de la chancellerie. Ils s'y attardèrent en sortant car Amélie tenait à lui faire remarquer la table ronde placée au centre et les cadres qui y étaient disposés. Ils contenaient des photographies. Certaines représentaient des scènes de famille et de vacances, d'autres, le portrait d'une femme à différents âges et dans différentes tenues.

— C'était Madame, commenta Amélie d'une voix sourde.

Les domestiques employaient naguère cette expression pour désigner leur maîtresse. Elle était étonnante dans la bouche d'une fonctionnaire.

— Madame ?...

— La femme de l'Ambassadeur, précisa Amélie. Puis, presque timidement et comme coupable de révéler cette familiarité, elle ajouta : Marie-Virginie...

Aurel était incapable de résister à la curiosité. Malgré la discrétion dont faisait preuve Amélie et qui confinait à la gêne, il demanda :

— Où est-elle maintenant ?

— Hélas. Mme de Carteyron est décédée il y a un mois.

Aurel regarda à nouveau les photos mais ses lunettes étant restées dans son pardessus, il ne distinguait pas bien les traits de la défunte.

— Il me semble qu'elle était... bien jeune.

— Quarante-cinq ans.

— Une maladie ?

Amélie secoua la tête.

— Un accident. Une chute, en visitant un monument en ruine.

— Comment est-ce possible ! s'écria Aurel.

— À vrai dire, on ne sait pas trop ce qui s'est passé. Elle se trouvait dans une région éloignée et elle était seule.

— C'est affreux.

Aurel remarqua que la jeune femme cachait avec sa main un petit tremblement nerveux du menton.

— Elle avait des enfants ?

— Deux garçons. Ils sont pensionnaires en France et ils étaient chez leurs grands-parents pour les vacances. M. l'Ambassadeur est allé les chercher pour les obsèques.

— Malheureuse famille ! Ce pauvre ambassadeur doit être effondré...

— C'est très probable, commenta sobrement Amélie.

Sans s'interroger sur ce laconisme, Aurel y vit un signe de tact et le refus du pathos. Ils revinrent silencieux vers le bureau de la consule. Aurel la remercia et elle l'accompagna jusqu'au poste de garde où veillait Jean-Louis.

— Bonne installation. Appelez-moi si vous avez besoin de quoi que ce soit. À la semaine prochaine !

Aurel se retrouva dans la rue, un peu groggy.

Il comprenait pourquoi un tel silence régnait dans ces bureaux et pourquoi le gendarme lui avait recommandé la discrétion. Les conversations se tenaient à voix basse et chacun avait l'air d'éviter de faire du bruit.

Cette ambassade était en deuil.

Peu à peu, tout s'éclairait. Si le Quai s'était hâté de l'envoyer là, ce n'était pas seulement parce que le pays avait à tort la réputation d'être infernal. C'était aussi parce que les conditions étaient favorables pour qu'il fût accepté par le poste. La toute jeune cheffe du service consulaire n'avait pas assez d'expérience pour savoir ce qu'elle risquait en accueillant Aurel dans son équipe. Quant à l'Ambassadeur, il était absent. Cet ignoble Prache avait ainsi profité de l'affliction de tout un poste et tiré profit du malheur qui frappait un diplomate dans la fleur de l'âge.

Aurel se sentait coupable d'être le complice involontaire d'une telle ignominie.

Son cœur, déjà gonflé d'amour pour cette ville qui l'accueillait avec toutes ses beautés, plein de compassion pour cette équipe frappée par le malheur de son chef, était bouleversé lorsqu'il évoquait la figure du pauvre ambassadeur auquel il allait imposer sa présence. Il avait hâte de le rencontrer pour lui dire à quel point il partageait son chagrin. Il se sentait prêt à tous les efforts. S'il devait en être réduit à cette extrémité, il irait même jusqu'à accepter d'accomplir, le moins possible bien sûr, un vrai travail.

*

Les habituels tracas qu'occasionnent les changements de poste étaient assez réduits puisque Aurel avait accepté de reprendre l'appartement de son prédécesseur. Il était situé dans un quartier sans charme mais peu éloigné du centre.

Aurel s'y fit conduire dans un des taxis londoniens mauves qui sillonnaient la ville. Fabriqués en Chine, ces tacots au bruit de casserole fêlée ajoutaient à Bakou une touche désuète et absurde qui lui plaisait.

Il se présenta à la gardienne. C'était une femme sans âge qui élevait seule un fils de dix-neuf ans. Elle insista sur le fait que son rejeton, dénommé Faïg, était au chômage et disponible pour n'importe quel petit boulot. Il aida à monter les deux grosses valises qui contenaient toute la garde-robe d'Aurel et celui-ci lui donna un billet sans trop connaître sa valeur.

Le logement, assez tristement meublé, n'était pas de première fraîcheur. Par superstition, Aurel préféra cependant ne pas s'occuper tout de suite de le remettre en état. Tant qu'il n'avait pas rencontré l'ambassadeur, il considérerait que sa nomination n'était pas effective.

Il ouvrit les fenêtres pour aérer les pièces, suspendit ses vêtements dans une penderie qui sentait la naphtaline puis sortit se promener. Bakou, la ville des vents, était à cette saison ensoleillée et fraîche, traversée par de l'air marin venu de la Caspienne. La richesse pétrolière ne s'étalait pas comme au Moyen-Orient mais on devinait sa présence à la qualité des voitures, au luxe des boutiques, à la restauration soigneuse des monuments.

En évitant de se mêler au flot des touristes de toutes provenances que déversaient des cars, Aurel fit de longues promenades dans la vieille ville turque. Les caravansérails y étaient transformés en restaurants ou en boutiques à souvenirs. Il aimait flâner la nuit sur les remparts impeccablement restaurés et éclairés avec goût. Au clair de lune, la célèbre tour de la Vierge, vestige mystérieux aux origines zoroastriennes, prenait des allures fantastiques.

À sa grande surprise, et pour achever de le venger de Prache, Aurel avait découvert que dans les restaurants et les cafés de la ville, l'alcool était en vente libre et consommé sans avoir à se dissimuler. Faute d'avoir encore reçu sa commande de Tokay détaxé, Aurel se rabattit sur le vin blanc local et le trouva très convenable.

D'une façon générale, si le pays se revendiquait comme musulman, la religion y était très strictement contenue. On n'entendait pratiquement pas l'appel du muezzin dans les rues et les signes extérieurs de piété étaient presque inexistants. Les autres cultes étaient d'ailleurs librement pratiqués. Aurel avait découvert notamment une synagogue et une église orthodoxe. Pour mettre toutes les forces surnaturelles de son côté, il entra faire une prière dans les deux.

Ainsi passa, entre flânerie et légère ivresse, une semaine délicieuse.

Arriva enfin le jour où il devait retourner à la chancellerie pour y rencontrer l'Ambassadeur.

L'ambiance avait changé. Jean-Louis avait boutonné sa chemise d'uniforme jusqu'en haut. Il fit signe à Aurel de se dépêcher.

Sitôt arrivé en haut de l'escalier, il tomba sur Amélie qui l'attendait.

— Vite, souffla-t-elle. M. de Carteyron demande à vous voir depuis son arrivée.

Aurel avait pris son temps. Il était déjà presque dix heures du matin. Amélie le précéda jusqu'à la salle d'attente et alla prévenir Azelma, la secrétaire. Comme la première fois, tout se faisait toujours à pas feutrés et Aurel les entendait parler à voix basse. Cependant, ce n'était plus seulement sous l'effet du deuil. La présence invisible du chef de poste pesait maintenant sur le personnel. Amélie revint, demanda à Aurel de patienter et le laissa seul.

Il resta planté près de la table basse qui portait les photos de feu Mme l'Ambassadrice. Comme il avait ses lunettes sur le nez, il put cette fois, en se penchant, distinguer les traits de la défunte. C'était une femme brune, très soignée d'apparence, ses cheveux longs et lisses coiffés en arrière découvraient un front haut et légèrement bombé. Un front d'artiste, pensa Aurel. Aucun adjectif pour décrire son nez, courbe, étroit, pointu, ne pourrait rendre l'élégance de ce relief, finement sculpté comme une figure de proue, qui tendait tout le visage vers l'avant, lui donnait sa force et son caractère. Sur la plupart des clichés, elle fixait l'appareil de ses grands yeux verts. Un maquillage habile, presque invisible, conférait à son regard une intensité particulière. Elle souriait à peine et cette faible tension ajoutait à ses traits une expression énigmatique. C'était exactement le genre de femmes qui terrassaient Aurel. Sa beauté, son raffinement, son mystère la situaient immédiatement dans la catégorie de ce qu'il appelait les grandes dames. De telles femmes le remplissaient d'admiration et de terreur. Il était prêt, au premier regard, à se sacrifier pour elles. Cette vision redoubla la peine qu'il ressentait de savoir qu'elle était morte. Une vague d'émotion le submergea, qui inondait la disparue aussi bien que son mari qu'il s'apprêtait à rencontrer. Il prenait soin d'essuyer ses yeux sous ses lunettes quand la porte s'ouvrit.

La jeune fille qui assistait Azelma venait le prévenir que l'Ambassadeur était prêt à le recevoir. Elle fit signe à Aurel d'entrer. Il pénétra dans une pièce haute de plafond, aux murs jaunâtres, assez tristement décorée de deux tableaux abstraits dans les tons beiges. Un grand bureau en forme de haricot occupait la partie gauche et, en face, des canapés en cuir fatigués entouraient une table basse.

Derrière le bureau, un homme était assis, la tête penchée sur une feuille, et il écrivait. Aurel ne voyait de lui qu'une épaisse chevelure châtain coiffée avec une raie.

Pensant soudain à la mort de sa femme et à ses deux enfants restés orphelins en France, il fut saisi par une bouffée de compassion, presque de tendresse, et, machinalement, avança jusqu'au bureau. Il saisissait le dossier d'une des chaises qui lui faisaient face quand, tout à coup, l'homme releva la tête.

— Je ne vous ai pas dit de vous asseoir ! coupa-t-il d'une voix sourde, tendue de méchanceté.

— Excusez-moi, je ne voulais pas...

Une lourde mèche retomba sur les yeux de l'ambassadeur et il la rejeta en arrière d'un brutal mouvement de tête. Il porta sur Aurel un regard dur et l'examina en silence de haut en bas avec une expression de pitié méprisante.

— N'imaginez pas une seconde que vous allez vous installer dans mon ambassade.

Il poursuivit son examen. Prenant l'air navré d'un sinistré qui découvre sa maison dévastée par une tornade, il secoua plusieurs fois la tête.

— Les salauds ! Ils ont profité de mon absence pour nous refiler celui dont personne ne veut.

Il tenait les yeux fixés sur Aurel avec un regard si destructeur que celui-ci se sentit rabaissé au rang de bête. Encore ne s'agissait-il pas d'une bête que l'on affectionne et que l'on respecte mais d'un nuisible, d'un insecte répugnant dont la vie importe peu et que le dégoût commande d'écraser.

— J'ai des amis, figurez-vous, reprit le chef de poste. Je sais exactement de quoi vous êtes capable. Croyez bien que je ne me serais jamais laissé faire.

Il devait avoir un fauteuil articulé qui grinça légèrement quand il se pencha en arrière. C'était au tour d'Aurel, maintenant, de l'observer. L'ambassadeur était beaucoup plus grand et massif que ne le laissait supposer la photo qui illustrait la fiche de poste qu'il avait consultée avant de partir. Il avait une tête carrée, des mâchoires saillantes et sa peau, sur le visage, était légèrement marquée de filets roses, comme on en voit chez les alcooliques. L'ensemble dégageait quelque chose de puissant et de brutal, mais aussi de veule et de sournois.

— Je vais en référer au Département. J'ai des appuis là-bas, croyez-moi. Ils me donneront satisfaction. C'est une question de jours, de semaines peut-être, mais soyez-en sûr : vous partirez.

— Bien, monsieur l'Ambassadeur.

La sympathie, l'enthousiasme, la compassion dont Aurel était plein en arrivant avaient fait place d'un seul coup à une déception si grande qu'elle prenait le visage du désespoir. Il aurait souhaité disparaître à l'instant, « rentrer sous terre », comme le disait à l'école son professeur de russe quand il lâchait une bêtise.

Assuré par la mine d'Aurel qu'il ne rencontrerait pas de résistance, l'ambassadeur se lança dans un long monologue. Il évoqua pêle-mêle le déclin de la diplomatie, la médiocrité des concours, l'inutilité des postes subalternes, la supériorité du recrutement local qui autorisait plus de souplesse dans la gestion du personnel.

Aurel, toujours debout, ne parvenait même pas à retrouver l'attitude de soumission naturelle et de stupidité profonde qui lui avait si souvent sauvé la mise à l'époque du communisme. Il sentait que ses joues étaient rouges comme s'il avait reçu deux gifles ; il respirait avec difficulté et ses yeux roulaient en tous sens.

L'Ambassadeur termina son monologue en grommelant et reprit son stylo, se pencha à nouveau sur la note qu'il corrigeait. Il parut oublier tout à fait Aurel. Enfin, au bout d'un long moment, comme on éprouve le besoin de vider une poubelle qui commence à sentir, il lui fit signe de s'éloigner en agitant la main.

— Sortez, maintenant !

Aurel était si désemparé qu'il se dirigea vers la fenêtre.

— Où allez-vous ?

Il prit conscience de son erreur, fit demi-tour et, sans trop savoir comment, réussit à ouvrir la porte et à sortir.

Parvenu au milieu de la grande salle d'attente, il eut un moment d'arrêt. Il passa la main sur ses yeux. Il se sentait comme quelqu'un qui sort indemne d'un tremblement de terre et ne reconnaît plus le paysage autour de lui. Au loin, dans la galerie vitrée, il vit passer une secrétaire qui portait des dossiers. Cette apparition détendit un ressort en lui et il se mit en marche.

Il traversa l'étage, s'engouffra droit devant lui dans l'escalier d'honneur et le descendit d'un pas lourd. Le gendarme sortit de sa cage et commença à gesticuler.

— Mais qu'est-ce qui vous prend ? Vous savez bien qu'il ne faut pas...

Aurel ne lui accorda pas un regard. En bas de l'escalier, il passa le sas de sortie les yeux dans le vide et se retrouva dans la rue. La circulation était dense à cette heure de la matinée. Il traversa la rue sans regarder. Une voiture freina brusquement. Il y eut un concert de Klaxons. Raide dans son costume soigneusement boutonné car il avait ôté son manteau en arrivant, Aurel marchait comme un automate. Il se heurtait aux passants. Les Azéris, pourtant placides, haussaient les épaules et s'écartaient sur son passage.

Il traversa plusieurs croisements au milieu des voitures, avançant comme un somnambule.

L'humiliation qu'il avait subie n'était ni la première ni la pire. Mais jamais il n'avait éprouvé une telle amplitude émotionnelle, tombant en un instant des hauteurs de la béatitude jusqu'aux abysses d'une déception radicale. Il ne voulait pas regarder autour de lui, tant le spectacle de cette ville où il avait cru pouvoir s'arrêter était désormais douloureux.

Parvenu à la voie rapide qui longe la mer, il continua de marcher droit devant lui. Ces boulevards ne peuvent normalement se traverser que par des passages souterrains. Les voitures arrivaient à grande vitesse et leurs conducteurs, stupéfaits de voir un piéton s'aventurer dans ce trafic sans même regarder autour de lui, freinaient avec d'horribles crissements de pneus. Aurel réussit malgré tout sans encombre à prendre pied sur la longue avenue du bord de mer, plantée de palmiers. Il buta alors sur l'immensité bleue de la Caspienne. Cet obstacle parut le tirer un peu de sa torpeur. Il se retourna et jeta des coups d'œil étonnés aux alentours. À l'endroit où il se trouvait, un parc d'attractions avait été construit sur l'esplanade du bord de mer. Il consistait en un circuit de faux canaux vénitiens sur lesquels circulaient des embarcations miniatures, pour le plus grand bonheur des touristes. D'instinct, Aurel avança dans cette direction, monta sur le petit embarcadère et s'installa dans une gondole miniature à moteur. Il fourra la main dans sa poche, en tira une poignée de billets froissés, les tendit au batelier. Puis il se tassa sur la banquette de cuir et le gondolier mit son esquif en marche.

Le bateau avançait lentement sur l'eau couleur d'émeraude du faux canal. D'absurdes décorations kitsch qui rappelaient vaguement la colonnade du palais des doges défilaient sur les bords. Recroquevillé sur son siège, Aurel semblait se calmer peu à peu. Le discret balancement du bateau rétablissait dans son esprit un calme relatif. Le reflux des émotions faisait revenir en lui des pensées confuses. Il revoyait l'ambassadeur, entendait ses propos, analysait les impressions qu'il avait ressenties pendant cette interminable quoique brève séance d'exécution. Puis apparurent l'image bouleversante de l'Ambassadrice défunte et le souvenir de ses yeux qui avaient la couleur des eaux qui entouraient l'embarcation. Aurel s'emplit de cette vision et eut l'impression de s'assoupir.

Mais, soudain, une lumière éblouissante inonda son esprit. Il ferma les paupières pour mieux voir ce qui l'aveuglait ainsi. Il ne fallut que quelques secondes pour que l'idée prît forme dans sa conscience et qu'il pût l'exprimer. Au moment où ils passaient sous le faux pont des Soupirs, tendu entre deux supermarchés, il se dressa d'un bond et fit violemment tanguer la gondole. Le conducteur rétablit l'équilibre in extremis.

— Non ! s'écria Aurel. Je n'accepte pas.

Aussitôt, il enjamba le plat-bord et mit le pied dans l'eau comme s'il débarquait sur un appontement. Il tomba immédiatement dans le canal. Le liquide frais le réveilla et il se remit debout en battant des bras. Il crut un instant se noyer mais heureusement il n'y avait pas plus de quarante centimètres d'eau. Le costume dégoulinant, la chemise ruisselant autour du nœud papillon, Aurel se fraya un chemin sur toute la longueur du Grand Canal, au milieu de *motoscafi* miniatures chargés de touristes russes. Les bateliers hurlaient, les passants s'attroupaient sur le front de mer alentour. Aurel n'en tint aucun compte et arborait toujours un air de dignité offensée.

— Je ne vais pas me laisser faire, répétait-il en hurlant intérieurement.

Un indicible bonheur l'avait envahi. Il lui donnait une si grande force que nul n'aurait osé se mettre en travers de sa route.

Avec cette volonté de résistance arrivait toute une troupe d'idées et de questions. Qu'est-ce que c'était que cette histoire d'accident ? Était-on certain que c'était bien dans un accident, d'ailleurs, que cette pauvre femme d'ambassadeur était morte ? Et ce veuf, il avait beaucoup d'énergie pour un homme accablé. En vérité, il n'avait pas l'air accablé du tout.

Tout cela n'était pas clair et méritait qu'on s'y arrêtât. Aurel n'aurait peut-être rien remarqué en temps normal mais la brutalité de l'Ambassadeur avait décuplé son flair. Il percevait, quoique très vaguement et sans en déterminer la direction, le fumet d'une affaire suspecte.

Une femme sublime, dont il n'avait pas oublié le regard douloureux, l'appelait et lui demandait justice.

Cette conviction soudaine faisait à Aurel l'effet d'une bouée providentielle lancée à un naufragé. Elle ne lui assurerait pas nécessairement la survie mais elle lui donnait un combat à mener. Elle désignait un but, le plus délicieux qui se puisse proposer à un être blessé : la vengeance.

Trempé, dégoulinant mais digne et surtout heureux, il retraversa toute la ville et rentra chez lui.

II

Arrivé devant son immeuble, Aurel était déjà
presque sec. Il croisa Faïg, le fils de la gardienne,
qui fumait sur le pas de la porte. Il prit un air
dégagé. Après tout, il pouvait penser qu'il avait
eu un peu chaud, en marchant vite. Il fallait tout
de même qu'il eût beaucoup transpiré pour que
ses chaussures fussent à ce point imbibées
d'eau…

Sitôt chez lui, Aurel se mit dans son lit, ou
plutôt dans celui de son prédécesseur. C'était un
affreux meuble en bois peint dont la tête était
tapissée au point de croix. Il avait tout de suite
eu le projet de le changer. Mais désormais, il s'en
moquait bien. Au contraire, cet ameublement
ridicule, cette armoire à glace démodée, ces
tableaux ringards accrochés de guingois alimen-
taient sa rage et lui donnaient encore plus d'énergie pour se défendre.

S'il se fiait aux seuls éléments objectifs, il devait convenir que ses vagues soupçons ne reposaient pas sur grand-chose. Aurel ne connaissait ni les circonstances de la mort de Mme de Carteyron, ni la relation de son couple. Penser qu'il pût y avoir là quelque chose d'anormal, une vérité cachée, un drame escamoté aux regards indiscrets n'était en somme qu'une simple intuition. Il n'entendait cependant pas la négliger. À l'origine de ses enquêtes, il y avait toujours des intuitions, c'est-à-dire les fruits souvent à peine mûrs de son inconscient.

Jamais encore, cependant, il n'avait suivi une piste aussi fragile, démarré sur un soupçon aussi vague, étayé par aussi peu d'éléments. C'est la violence que lui avait fait subir l'ambassadeur qui le poussait à écouter cette imperceptible voix. Était-elle autre chose qu'un effet de la colère ? Il en doutait, mais à partir du moment où il avait décidé de réagir, il ne pouvait rien négliger.

Or, il refusait absolument l'idée de renoncer au bonheur que lui offrait cette ville. Il avait trop souvent dans sa vie cédé aux vents mauvais. Cette fois, il ne les laisserait pas faire.

Allongé sur le dos, il tira jusqu'au menton un couvre-lit rouge matelassé qui sentait la poussière. Il frissonnait.

Ses pensées étaient trop confuses pour qu'il cherchât à y mettre de l'ordre. Il se laissa aller à rêver à la jeune défunte dont Amélie lui avait livré le prénom. Il répétait, les yeux mi-clos, « Marie-Virginie, Marie-Virginie », en y mettant tous les tons possibles, de la tendresse au reproche. Par instants revenait l'image de l'ambassadeur, avec sa mèche épaisse et son nez fort. De temps en temps, au gré de sa rêverie, Aurel sursautait et jetait un regard mauvais à l'horrible bouquet de fleurs reproduit à l'infini sur le papier peint. Enfin, lentement, il s'endormit.

La sonnerie rauque d'un téléphone fixe l'éveilla en sursaut. Il chercha l'appareil partout car il ne s'en était jamais servi. Il finit par le découvrir, posé par terre à côté de l'entrée de la salle de bains.

C'était Amélie.

— Je ne savais pas si vous aviez gardé la ligne de votre prédécesseur, commença-t-elle, visiblement soulagée. Comme vous ne m'avez pas laissé votre numéro de portable...

— Je n'en ai pas.

Aurel avait conscience depuis toujours que la téléphonie mobile est un redoutable moyen de contrôle. Dans sa stratégie visant à se soustraire au travail, il était indispensable de ne pas tomber dans ce piège.

— Pourquoi n'êtes-vous pas revenu au bureau après le déjeuner ?

— Quelle heure est-il ?

— Seize heures.

— Je ne me sentais pas très bien. Il a fallu que je m'allonge un peu.

Amélie avait beau croire Aurel en mauvaise santé, elle n'était pas dupe de cette excuse, compte tenu des circonstances.

— Écoutez, je sais que ça ne s'est pas très bien passé ce matin avec le patron...

— Pas très bien, non.

— Ce n'est pas une raison pour disparaître. À moins que vous ne souhaitiez démissionner.

— Il n'en est pas question, s'indigna Aurel à qui revenaient ses idées de vengeance et qui se sentait plus combatif que jamais.

— Dans ce cas, revenez tout de suite à l'ambassade et passez me voir. Nous ferons le point et je vous expliquerai certaines choses.

— Entendu.

Aurel se déshabilla et tira de sa valise une tenue de rechange. C'était un costume en fil à fil gris qu'il avait fait faire sur mesure lorsqu'il était plus corpulent. Il flottait un peu dedans mais cela lui convenait bien, au moment où il éprouvait la nécessité d'être libre de ses mouvements. Il noua une cravate noire étroite, comme pour afficher le deuil qu'il avait décidé de respecter en hommage à la défunte. Il laça des chaussures de golf à dessus blanc. Puis il se regarda en pied dans la grande glace de l'entrée. Il se sentait léger, remonté à bloc, prêt à en découdre. Il esquissa un entrechat, glissa sur le parquet et se rattrapa de justesse au portemanteau.

Un imperméable sur le bras, il sortit sur le palier et dévala l'escalier en chantant l'air du toréador de *Carmen*.

Sitôt franchi le sas de l'ambassade, il fut hélé par Jean-Louis, assis dans son poste de garde devant ses écrans de surveillance. Le gendarme commença par des reproches.

— Qu'est-ce qui vous a pris, ce matin, de descendre par le grand escalier ? Vous savez bien que c'est interdit.

— Je suis désolé. J'ai fait un malaise.

— Mouais ?

— Ça m'arrive. Un genre d'épilepsie. Il faut que je sorte au grand air tout de suite sinon je perds connaissance et je vomis partout.

— Bon. La prochaine fois, essayez de prévoir. Imaginez que vous ayez croisé un visiteur de l'Ambassadeur, un ministre ou quelqu'un de ce genre…

— Bien sûr. Si ça me reprend, je sauterai par la fenêtre.

Le gendarme haussa les épaules. Aurel ne voulait pas rester sur cette insolence. Il tenait à le ménager.

— Tiens, dit-il en pointant du doigt un damier affiché sur l'ordinateur du poste, vous jouez aux échecs ?

— J'aime bien. Vous aussi ?

— J'ai un peu joué, dans le temps.

Aurel avait fait cet aveu avec une légère réticence. À vrai dire, il était de première force aux échecs car il avait fait des compétitions pendant toute sa jeunesse en Roumanie. D'après son expérience, les Français qui jouaient très bien étaient rares. Il ne devait ni paraître se vanter ni laisser ignorer son niveau, sous peine de vexer son partenaire.

— Ça vous dirait qu'on se fasse une partie de temps en temps ? Tiens, ce soir si vous voulez. Ma femme est en voyage en ce moment et j'ai mes soirées libres.

— Pourquoi pas ?

— On peut dire six heures sur la place des Fontaines ? À la terrasse du café Qubernator, par exemple ? Ils ont de bonnes bières à la pression. Je viendrai avec un jeu.

Aurel accepta. Ce serait toujours un contact intéressant et il n'avait de toute façon rien prévu pour la soirée.

Il monta rejoindre Amélie. La porte de son bureau était grande ouverte. Elle lui fit signe d'entrer et de refermer derrière lui.

— Asseyez-vous. Vous voulez un café ?

Aurel secoua la tête. La consule alla en préparer un pour elle. Elle avait apporté une petite machine et des dosettes car elle en consommait apparemment une grande quantité. Pendant que la cafetière vrombissait, elle dit à voix basse :

— Je ne sais pas ce que vous avez fait à l'Ambassadeur. Il est vent debout contre vous. Vous savez qu'il veut faire annuler votre nomination ?

Dès que son café eut coulé, elle revint se placer derrière son bureau.

— Vous l'avez rencontré avant ? Vous avez eu des démêlés avec lui ?

Aurel était attendri par l'expression directe et naïve de cette fille. Il ressentait une grande affection pour elle, comme si elle eût été quelqu'un de sa famille. Elle lui rappelait une petite cousine qui venait jouer chez eux à Bucarest quand il avait huit ans. Elle en avait un ou deux de plus mais elle arrivait de la campagne et elle était si petite et menue qu'Aurel se sentait le devoir de la protéger. Il la considérait un peu comme une petite sœur. Il ressentait quelque chose du même ordre avec Amélie.

— Ce serait compliqué à vous expliquer, gémit-il, en faisant un geste évasif de la main.

— En tout cas, il a déclenché une procédure auprès du ministère. Heureusement pour vous, cela va prendre un certain temps. Le service des ressources humaines ne va pas se laisser faire.

Elle ne croyait pas si bien dire. Aurel imaginait Prache freinant des quatre fers.

— En attendant, reprit-elle, il faut que vous soyez irréprochable, sinon vous allez donner des arguments à ceux qui souhaitent votre renvoi. Vous voyez ce que j'entends par « irréprochable » ?

Hélas, Aurel ne voyait que trop bien. Il s'attendait au pire, c'est-à-dire à ce qu'on l'oblige à exécuter de fastidieuses tâches de bureau. Ce n'était pas par paresse qu'il s'y était toujours refusé. Comment aurait-il pu expliquer cela à Amélie ? Devait-il lui raconter le serment fait à sa mère sur son lit de mort ? Elle lui avait fait jurer qu'il ne suivrait jamais la voie de son père, qu'il ne perdrait pas sa vie dans des emplois de gratte-papier, mais qu'il lui ferait le cadeau posthume de devenir un grand artiste... S'il usait son énergie dans un bureau, c'en serait fini des oratorios, du piano, de la méditation esthétique qui occupaient ses journées. De surcroît, il y avait maintenant autre chose : l'enquête qu'il voulait mener à tout prix, inspiré par les soupçons qu'il avait conçus dans la gondole. Car l'autre grande affaire de sa vie, c'était de traquer l'injustice. Au fond de lui, il sentait de plus en plus que cette femme disparue avait besoin de lui pour la venger.

Ces réflexions l'avaient emmené un instant ailleurs et Amélie le regardait dans les yeux en agitant la main.

— Vous m'écoutez ? Vous avez entendu ce que je viens de vous dire ?

— Oui... Enfin, non...

— Je vous parlais des ordres que l'Ambassadeur m'a transmis à votre sujet.

— De quoi s'agit-il ?

— Je vous le répète, je suis navrée de devoir appliquer cette consigne mais je suis sa subordonnée.

— Bien sûr. Qu'a-t-il décidé ?

— C'est dur, je sais. Mais il faut que vous l'entendiez. Voilà : j'ai l'interdiction de vous donner le moindre travail. L'Ambassadeur ne veut pas que vous touchiez à un seul dossier.

Aurel s'affala sur sa chaise et prit un air accablé.

— C'est très dur, en effet.

— Écoutez, je vais tout de même essayer...

— Non ! Non ! Ne prenez aucun risque. Je m'y ferai.

Il poussa un soupir. Amélie baissa les yeux. Il laissa passer un temps puis hasarda :

— Faut-il que je reste chez moi ?

— Surtout pas ! Vous pourriez être accusé d'abandon de poste. Venez ici normalement chaque matin. Votre bureau vous attend. Et surtout présentez-vous chaque semaine à la réunion de service. Le reste du temps, tâchez de vous occuper comme vous pourrez.

— J'y arriverai, s'engagea-t-il, les mâchoires serrées, pour montrer sa détermination à affronter l'oisiveté sans faiblir.

— Venez, je vous emmène voir votre bureau. C'était celui de votre prédécesseur. Il n'est pas très bien situé malheureusement mais nous manquons d'espace.

Ils traversèrent la galerie vitrée et passèrent devant l'ascenseur. Un petit couloir débouchait sur la gauche. Ils l'empruntèrent. La dernière porte donnait sur un réduit qu'éclairait une lucarne placée en hauteur. Aurel nota avec plaisir que l'équipement informatique et le téléphone y étaient toujours installés. L'ambassadeur ne s'était pas abaissé à contrôler si on les avait retirés et Amélie, souveraine en son service, était trop gentille pour se livrer à ce genre de mesquinerie.

— Bonne installation, lança-t-elle avant de l'abandonner dans le bureau. Et n'oubliez pas :

demain nous serons jeudi. C'est le jour de la réunion de service. Elle débute à neuf heures précises.

Resté seul, Aurel commença par vérifier que le téléphone fonctionnait. Puis il alluma l'ordinateur et constata que Diplonet, le réseau interne du ministère, était bloqué pour lui. Heureusement, il disposait tout de même d'un accès à Internet. Dans ses postes précédents, il avait toujours fait croire qu'il ne savait pas se servir de ces outils modernes. En réalité, il les maîtrisait aussi bien que son piano.

Il ouvrit ensuite l'armoire métallique qui occupait le mur de gauche. Elle contenait des rails pour y suspendre des dossiers. Toutes les chemises avaient été vidées. Sur une étagère, il trouva un annuaire diplomatique datant de deux ans, un *Who's who* encore plus ancien ainsi qu'un répertoire des notaires de France. Il découvrit aussi un guide d'Italie en camping-car, sans doute oublié par son prédécesseur.

Il avait hâte de se mettre au travail mais un coup d'œil à sa montre lui indiqua qu'il était déjà 17 h 30. Il devait rejoindre son partenaire d'échecs. Les choses sérieuses attendraient le lendemain.

*

À la tombée du soir, le vent faiblit à Bakou et des milliers d'oiseaux piaillent dans l'ombre des arbres qui exhalent leur fraîcheur. C'est le moment que choisissent les mères pour venir promener leurs jeunes enfants. Dans les grands jardins du centre-ville, on entend partout des voix claires et des rires. Aurel chercha le gendarme parmi la foule des consommateurs assis sur la vaste terrasse du café Qubernator. En réalité, il n'y avait pas vraiment de terrasse : les tenanciers de l'établissement avaient placé des chaises et des tables sur tout l'espace piétonnier et ils auraient pu aussi bien en disposer deux fois plus. Aurel entendit crier son nom et mit un instant à reconnaître Jean-Louis. Le gendarme s'était changé. Il portait un jean et un tee-shirt noir sur lequel était écrit en français : « Mort aux vaches ».

Aurel s'assit en face de lui.

— Vous buvez quoi ?

— Un verre de blanc pas trop sec.

Pendant que son partenaire appelait un garçon, Aurel regardait autour de lui.

— Il est agréable, ce café. Qu'est-ce que c'est que ce bâtiment, à côté ?

Les tables en terrasse butaient sur une palissade et au-dessus d'elle, on voyait s'élever un monument de pierre jaune dont les fenêtres étaient vides.

— C'est la cathédrale arménienne. Quand la guerre a commencé, ils ont mis tous les Arméniens dehors. Il y en avait près de trois cent mille dans la capitale. Et ils ont fermé la cathédrale.

— Qu'est-ce qu'il y a dedans ?

— De l'herbe.

Pendant qu'il parlait, Jean-Louis plaçait les pièces sur le petit échiquier en carton qu'il avait déplié sur la table. Ils commencèrent à jouer. Le gendarme prenait l'air finaud et réfléchissait en lâchant des soupirs douloureux. Il ne fallut pas longtemps à Aurel pour comprendre qu'il jouait assez mal. Il lui fallut redoubler d'attention pour ne pas lui faire perdre la face. Il lui concéda même la première partie en se laissant prendre sa reine. Il faisait aussi durer la réflexion, même quand les coups étaient évidents, afin que puisse s'installer une véritable conversation.

Après l'avoir fait parler de sa carrière et de son arrivée dans le pays, deux ans plus tôt, Aurel orienta prudemment le gendarme vers la mort de l'Ambassadrice.

— Je vous avoue que j'ai été un peu terrorisé quand j'ai appris le décès de cette pauvre femme. Cela laisse penser que ce pays n'est vraiment pas sûr...

— Mais non ! Qu'est-ce qu'on est allé vous raconter ? C'est un banal accident. Elle n'a pas été agressée et le pays n'est pas dangereux du tout. À condition de ne pas aller dans les zones militarisées mais, de toute façon, c'est interdit.

— Un accident, un accident… J'ai l'impression que l'affaire n'a pas l'air très claire.

— Ce n'est pas clair parce que cela s'est déroulé sans témoin et assez loin d'ici. Mais dans les grandes lignes, on sait exactement ce qui s'est passé.

— C'est-à-dire ?

— Eh bien, elle visitait un château médiéval pour le prendre en photo. Elle s'est perchée sur le rempart et un des créneaux s'est descellé. Elle est tombée dans le vide.

— Elle était photographe professionnelle ?

— Presque. C'était sa passion, mais elle avait appris la technique en autodidacte. Échec ! Dites donc, vous ne m'avez pas l'air très concentré.

Au contraire, Aurel venait laborieusement d'éviter trois occasions de faire mat et il accumulait les erreurs volontaires pour faire durer la partie.

— Et elle aimait photographier les châteaux ?

— Je ne sais pas si elle aimait ça mais elle avait réussi à décrocher un contrat pour faire un livre là-dessus. L'ambassadeur en parlait tout le temps. Il en était très fier. On aurait dit qu'il s'attribuait tout le mérite.

— Il y a beaucoup de châteaux en Azerbaïdjan ?

Le gendarme se redressa et fronça le sourcil comme s'il avait arrêté Aurel pour excès de vitesse.

— Vous ne m'avez pas l'air d'avoir tellement préparé votre arrivée ici, vous ! Si vous ouvrez n'importe quel guide, c'est la première chose qu'on vous dira : le pays est truffé de citadelles médiévales magnifiques.

Il était vrai qu'Aurel, avant de partir, n'avait pas jugé bon de perdre son temps en s'informant sur l'Azerbaïdjan. Il pensait y trouver l'enfer et il n'était pas impatient d'y plonger.

— L'Ambassadrice, d'après ce que je sais, avait déjà photographié un grand nombre de ces forteresses. Elle voyageait presque chaque semaine. Jusque-là, elle n'avait pas pu aller au Nakhichevan. Elle avait fini par obtenir l'autorisation de s'y rendre et c'est là qu'a eu lieu l'accident.

— Où cela se trouve-t-il, le Nakhichevan ? demanda Aurel, en mettant volontairement un de ses fous en danger.

Jean-Louis agita les bras mais c'était pour une autre raison. Il avait remarqué quelqu'un qui passait sur la place.

— Thierry ! Hola ! Par ici !

Celui qu'on avait présenté à Aurel comme le chef d'antenne de la DGSE s'approcha de leur table. Malgré l'obscurité qui gagnait la place, il portait des lunettes fumées, ce qui lui donnait l'air d'un espion de série B.

— Tu prends quelque chose avec nous ?

— Je ne veux pas vous empêcher de faire votre partie.

— T'inquiète, mon vieux.

Jean-Louis héla le serveur et le nouveau venu commanda un demi.

— Figure-toi qu'on parlait de l'accident de l'Ambassadrice.

— Ah ! oui.

— Qu'est-ce que vous me demandiez, déjà ? Où se trouve le Nakhichevan. Thierry va vous expliquer ça mieux que moi.

— C'est une exclave, prononça doctement le maître espion.

— Mais encore ?

— Un bout de territoire en dehors du territoire. Une enclave extérieure, si vous voulez.

— Je comprends. Au nord ? Au sud ?

— Au sud-ouest, entre la Turquie et l'Iran. Et elle est séparée du reste de l'Azerbaïdjan par l'Arménie avec laquelle ils sont en guerre. C'est une région qui a un statut assez spécial, une république autonome. On ne sait pas trop ce qu'il s'y passe.

— Donc, c'est là qu'est morte Marie-Virginie de Carteyron ?

— Madame l'Ambassadrice, rectifia obséquieusement le gendarme.

— Et... son mari était avec elle ?

— L'Ambassadeur ne nous informe pas de tous ses déplacements. Il n'était pas à Bakou le jour où on a appris la nouvelle, mais j'ignore où il se trouvait.

— S'il était allé là-bas, il aurait certainement prévenu le ministère ?

— Pas forcément, si c'était un voyage privé.

— Vous devez le savoir, vous, Thierry...

Le chef de station braqua ses lunettes noires sur Aurel.

— Pourquoi dites-vous ça ? Je ne travaille pas aux Renseignements généraux. D'ailleurs, ça n'existe plus. On surveille le pays, pas les diplomates.

Les services secrets conservent une vieille mentalité de guerre froide et tout ce qui vient de l'Est leur paraît suspect. Aurel sentait une certaine hostilité à son égard chez l'homme du renseignement. Il ne s'en étonnait pas. Son gros accent roumain ne devait pas le disposer en sa faveur. Il évita de poursuivre avec des questions trop personnelles.

— Et comment s'y rend-on, dans cette exclave ?

— Par avion, dit le gendarme. Il y a plusieurs vols par jour.

Aurel commençait à penser au moyen d'aller y faire un tour. Comme s'il prévenait sa pensée, le barbouze ajouta :

— Mais il faut des autorisations spéciales. C'est compliqué. Et puis, il faut serrer les fesses : on survole des zones de guerre. Des fois qu'un missile se perdrait...

Ils en restèrent là sur le sujet. Aurel, malgré tous ses efforts, gagna la partie d'échecs et ils plièrent le jeu. Ensuite, la conversation glissa sur le football, puis Aurel posa des questions pratiques relatives à son installation. Ils se quittèrent avant huit heures car le dénommé Thierry devait rejoindre sa femme pour le dîner et le gendarme voulait voir un match à la télévision.

Aurel rentra en faisant d'abord le tour de la citadelle. Les remparts étaient artistiquement éclairés et ce décor était propice à la rêverie. Son esprit divagua vers les châteaux médiévaux et il s'imaginait la femme si bien élevée, d'une beauté si classique, dont il avait contemplé le portrait,

en tenue de photographe. Il se représentait toujours les membres de cette profession vêtus de
gilets kaki pleins de poches et portant de lourds
sacs de matériel.

Il disposait encore de si peu d'éléments à
propos de cette histoire que son imaginaire pouvait partir dans toutes les directions. Il était
inutile encore de chercher à le canaliser.

En passant devant une épicerie, il acheta une
bouteille de blanc et rentra chez lui. Il se déshabilla et enfila un peignoir en éponge un peu
décousu. Il ouvrit la fenêtre, posa sur le rebord
un verre et la bouteille. Il resta ainsi, à déguster
son vin, humant le vent salé qui s'était levé et
amenait de la mer des odeurs de déserts et des
souvenirs d'empires engloutis.

III

Sans téléphone portable pour servir d'alarme et faute d'avoir pensé à acheter un réveil, Aurel n'avait pas vraiment dormi, pour être sûr d'être à l'heure à la réunion de service.

Il arriva très en avance. Dès six heures et demie, il attendait sur un banc l'ouverture du premier café, le long d'une place située non loin de l'ambassade. À sept heures moins le quart, des garçons ensommeillés, achevant de nouer leur tablier blanc, disposaient les chaises sur la terrasse du Paris-Bistro. Aurel s'y installa dès qu'ils l'y autorisèrent.

En buvant coup sur coup deux doubles expressos, il observa la vie de la ville à l'aube. Les Azéris semblaient assez matinaux. Le trafic des voitures, sur l'avenue de l'autre côté du square, était déjà intense et des piétons vêtus pour aller travailler passaient sur les trottoirs. Ce devaient être des habitués car beaucoup se saluaient d'un signe de la main. Tout à coup, parmi eux, Aurel remarqua deux joggeurs en nage, les cheveux coupés court, qui discutaient en français : il reconnut le chiffreur et l'attaché de défense. Ils le dépassèrent sans le remarquer.

Un peu plus tard, il vit apparaître séparément plusieurs femmes qui travaillaient comme secrétaires à l'ambassade. L'une d'elles avançait lentement et avait l'air de souffrir des pieds. C'était la dénommée Azelma, collaboratrice directe de l'Ambassadeur. Son obésité la handicapait beaucoup pour marcher. Elle s'arrêtait de loin en loin et reprenait son souffle, en se tenant aux bancs publics ou aux troncs des arbres.

Aurel lui laissa le temps d'arriver puis se mit en route à son tour. Il pénétra dans le sas en même temps qu'Amélie.

— À la bonne heure ! Vous n'avez pas oublié la réunion.

Aurel passa dans son cagibi pour y déposer son manteau puis se rendit à la salle de conférence.

De grands tableaux abstraits ornaient les murs. Aussi laids que ceux qui étaient accrochés chez l'Ambassadeur, ils étaient peints dans des tons plus clairs qu'on ne pouvait cependant qualifier de gais. Aurel attendit Amélie près de la porte car il ne savait pas où il lui revenait de s'asseoir. D'autres fonctionnaires arrivèrent les uns après les autres et se dirigèrent vers la chaise qu'ils avaient l'habitude d'occuper. Le jeune premier conseiller passa près d'Aurel sans le saluer, en laissant derrière lui une odeur d'eau de toilette chère dont il se servait à l'évidence pour marquer son espace et établir son autorité sur une large zone autour de lui. Il alla s'asseoir du côté droit, presque au bout de la longue table ovale. Aurel en déduisit que l'Ambassadeur se placerait à cette extrémité. C'est effectivement vers l'autre bout qu'Amélie l'entraîna en arrivant. À son grand soulagement, il se retrouva caché par la carcasse massive de son voisin qui n'était autre que Jean-Louis. Aurel comprit que, dans ce petit poste, l'Ambassadeur tenait à ce que tous les agents, jusqu'au responsable de la sécurité, prennent part à la réunion de service. Cela lui donnait sans doute l'illusion flatteuse de diriger une plus grande équipe.

Tout le monde était en place à neuf heures moins cinq et attendait en discutant à voix basse. À neuf heures précises, l'Ambassadeur fit son entrée et l'assistance salua son arrivée en se levant. Aurel avait rarement vu ça dans ses autres postes. L'autorité, ici, ne se discutait pas et un respect pointilleux des formes était imposé.

Sans saluer personne et avec une majesté éco-nome de ses gestes, l'Ambassadeur fit signe à son premier conseiller de lire l'ordre du jour. Le jeune blanc-bec s'exécuta, en jetant autour de la table des coups d'œil menaçants de bourreau auxiliaire.

Aurel observait surtout l'Ambassadeur. Il retrouvait bien l'homme qui l'avait si violemment humilié, mais, avec le recul, il pouvait mieux détailler ses traits. Il fut frappé par sa jeu-nesse. Ce qu'il y avait dans cette tête de massif et même d'usé, cette couperose aux joues, ces rides au pli des yeux et entre les sourcils, semblait un maquillage dont on l'aurait surchargé. Si l'on faisait abstraction de ces ajouts, le visage de l'Ambassadeur restait celui d'un tout jeune homme. La mèche qu'il ne cessait de remonter, soit avec un geste de la main, soit en lançant un coup de menton, apparaissait à Aurel comme une diversion, un leurre dont l'effet, sinon le but, était de détourner l'attention de l'observateur et de ne pas lui permettre de former cette pensée tant redoutée : « C'est un gamin. » Aurel s'y était d'ailleurs laissé prendre pendant leur première entrevue. La méchanceté, la force, la brutalité avaient dominé ses impressions tandis qu'aujour-d'hui, s'il avait dû user d'un qualificatif pour désigner cet homme, il aurait dit : « enfant sauvage ».

Entre-temps, le premier conseiller avait terminé sa lecture et l'Ambassadeur commença à parler.

— Il s'est déroulé pas mal de choses pendant mon absence. Nous allons les passer en revue.

Ce « nous », à l'évidence, ne désignait que lui. Il se lança en effet dans une interminable péroraison. Il prenait son temps, jouissait de tenir son auditoire captif, ménageait d'interminables silences dont il ne pouvait ignorer qu'ils étaient insupportables. Il ne dit pas un mot des obsèques de sa femme ni des aspects personnels de son séjour en France. Il évoqua les événements politiques en Azerbaïdjan et dans la région, revint sur une obscure affaire de grand contrat qui, apparemment, n'avait pas été signé, entra dans de filandreux détails à propos des derniers mouvements dans le corps diplomatique français. Sa voix devenait de plus en plus monocorde et Aurel, qui n'avait pas dormi, se sentait gagné par un assoupissement irrépressible. C'était évidemment dangereux. Il ne devait pas s'effondrer sur la table et il voyait d'ailleurs Amélie le surveiller du coin de l'œil. En même temps, il aimait ces moments où la conscience se trouble et où apparaissent des images inattendues, où s'ouvrent des fenêtres indiscrètes sur le monde invisible qui se cache derrière les apparences.

C'est ainsi qu'au bout d'une heure de discours environ Aurel fut frappé par une idée : il se dit que l'Ambassadeur n'avait sans doute pas plus dormi que lui. Il ne l'avait pas remarqué tout d'abord, mais désormais cela lui semblait évident. L'homme était habitué à endosser une panoplie : costume de bonne coupe, chemise à col italien et chaussures d'autant mieux cirées que deux femmes de chambre briquaient la résidence et prenaient soin de ceux qui l'habitaient. Mais quelque chose de défraîchi, des paupières trop lourdes, une lassitude qui gagnait par instants le causeur trahissaient l'homme qui s'est changé à la hâte après avoir passé la nuit dehors. Aurel fut content de sa trouvaille. Il nota aussi la présence au poignet du diplomate d'un bracelet composé de petites boules de bois qu'il s'efforçait de cacher sous sa manche mais qui, de temps en temps, ressortait. Cet accessoire était banal mais sa présence avait l'air de gêner l'Ambassadeur. Il semblait vouloir cacher ce qui pouvait être l'indice d'un aspect de sa vie qu'il souhaitait tenir secret.

Le chef de poste continuait à discourir. À un moment, Aurel distingua le mot « sénateur » et il comprit que trois d'entre eux allaient bientôt

passer à Bakou en visite officielle. Puis il s'assoupit de nouveau. La réunion allait toucher à sa fin
quand il fut tiré de sa torpeur en entendant pro-
noncer son nom.

— Quant au nouveau Consul adjoint très
provisoire, M. Timescu, grinçait l'Ambassadeur,
nous remercions le ministère de nous l'avoir
affecté.

Aurel avait retiré ses chaussures et il se mit à les
chercher fébrilement en remuant les pieds sous la
table. Il paniqua parce qu'il ne les retrouvait pas.

— Nous pensons néanmoins que cette géné-
rosité serait plus utile à d'autres. Notre poste est
assez bien doté et nous n'avons pas l'utilité des
qualités professionnelles proverbiales de ce monsieur.

L'ironie du propos était accentuée par le fait
qu'il arrivait en fin de réunion et que l'Ambassadeur semblait vouloir expédier le sujet et souli-
gner son peu d'importance.

À son grand soulagement, Aurel avait récupéré
la chaussure gauche, il se mit à faire de grands
moulinets sous la table pour localiser la seconde.

— En attendant qu'il nous quitte pour une
nouvelle affectation, certainement dans un poste
illustre, je vous demande de ne lui confier
aucune affaire et de ne le solliciter pour aucun
dossier.

Aurel croisa le regard de l'Ambassadeur. Au même instant, il réussit à enfiler sa deuxième chaussure. Cette conclusion heureuse produisit en lui une détente.

La réunion prit fin. Tout le monde attendit le départ de l'Ambassadeur pour quitter la pièce. Chacun avait sa méthode pour cacher son accablement : certains farfouillaient dans un dossier, d'autres sortaient leur téléphone portable. Tous devaient penser à leur salaire et se demander si ce qu'ils gagnaient les dédommageait vraiment de telles souffrances.

Pendant qu'ils regagnaient leurs bureaux, Amélie se pencha vers Aurel et lui souffla :

— J'ai appris que la DRH à Paris s'est donné trois semaines pour statuer sur votre cas.

Aurel la remercia et s'enferma dans son cagibi. Il avait donc trois semaines pour se défendre, s'il voulait rester dans le pays. Trois semaines pour donner corps à une simple intuition. Quand il était lucide, comme à cet instant, cela lui paraissait tout à fait impossible. Il n'avait rien, pas un seul indice, pas un seul témoignage pour étayer une hypothèse que personne n'avait d'ailleurs jamais formulée.

Mieux valait ne plus y penser. Tant pis.

Il s'assit derrière son bureau et joua à sec en pianotant sur le meuble une étude de Chopin opus 25 qui le consolait toujours de tout.

Soudain, tandis qu'il butait sur une double croche, un détail lui revint. Lors du premier entretien, l'Ambassadeur avait prononcé ces mots : « Je sais de quoi vous êtes capable. » Aurel n'y avait pas prêté attention, pensant qu'il parlait de son incompétence administrative. Mais le chef de poste avait ajouté : « J'ai des amis. » Et tout à l'heure, lorsqu'il s'adressait à lui devant l'équipe, il avait un court instant croisé son regard. Comment ne l'avait-il pas compris tout de suite ? Il en était sûr, maintenant. C'était un regard non pas de menace, comme auraient pu le laisser supposer ses propos, mais de crainte.

« J'ai des amis. » « Je sais de quoi vous êtes capable. » Et si les amis en question étaient les ambassadeurs auprès desquels Aurel avait révélé ses talents d'enquêteur dans le passé ? Si la vraie raison pour laquelle il voulait à tout prix se débarrasser de lui, c'était qu'il craignait ces talents-là ? Et si l'Ambassadeur avait quelque chose à cacher ? Quelque chose de vital, d'essentiel, à propos duquel il ne pouvait prendre aucun risque et surtout pas celui de voir un Aurel y mettre son nez ?

Au moment où il allait sombrer dans le découragement, Aurel venait de retrouver un motif d'espérer et surtout d'agir. C'était encore une fois une intuition, un indice mineur et peut-être imaginaire. Reste que, dans le pot-au-noir où il flottait, la moindre brise était bonne à saisir.

Il descendit s'acheter une pizza et un Coca-Cola avant de remonter s'enfermer. Les choses sérieuses commençaient.

Il lui fallait d'abord essayer de comprendre qui était ce couple autour duquel, sans rien en connaître, il avait flairé la tragédie.

Il ouvrit d'abord le *Who's who*. La notice était courte et ne comportait pas de photo. Il lut :

« De Carteyron Gilles, né le 13 octobre 1977 à La Bastide d'Oule (Alpes-Maritimes) de De Carteyron Bernard, agriculteur, et madame, née Delambre. Études secondaires au lycée Carnot (Cannes). Diplômé de l'Institut d'études politiques de Paris et de l'École nationale d'administration (Promotion Victor-Hugo 1999). »

Il sauta la carrière qui était sommairement résumée et incomplète compte tenu de l'ancienneté du volume.

« Marié à Mme Delmas Marie-Virginie, née à Paris, le 12 août 1975, sans profession. »

Le *Who's who* est terrible pour les épouses. Elles peuvent avoir fait de grandes études, brillé dans le sport ou la musique, dès lors qu'elles n'exercent pas d'activité, la formule « sans profession » se referme sur elles comme une pierre tombale.

Aurel relut la notice. La Bastide d'Oule... Où cela pouvait-il se trouver ? Il alluma l'ordinateur et chercha. Le village était situé sur les hauteurs de Grasse. Il ne comptait que quelques maisons. En passant sur la vision satellite, il ne distingua alentour que du maquis et d'immenses serres à fleurs. Mais, surplombant le hameau, était édifié un grand château. En quelques clics, il trouva une photo de la façade. C'était un bâtiment médiéval flanqué de tours d'angle, mais il avait été complètement transformé au XVIIIe. De hautes croisées peintes en blanc perçaient la façade et donnaient sur un jardin à la française soigneusement entretenu.

Aurel prit le temps de s'imprégner de cette image et de la confronter à ce qu'il connaissait de l'Ambassadeur. Cela concordait parfaitement. La vieille France, l'enfant gâté, la volonté de puissance et l'idée d'appartenir à l'élite depuis les Croisades. Il ne doutait pas que Carteyron fût né là et il se demandait laquelle de ces fenêtres pouvait être celle de sa chambre. C'était bien le genre de ces vieilles familles de cacher leur fortune terrienne derrière un intitulé comme « agriculteur »...

Où avait-il rencontré Marie-Virginie Delmas ? Avec un nom aussi courant, il serait bien difficile de trouver quelque chose sur ses origines.

Il revint au mari et le chercha dans l'annuaire diplomatique. L'édition du volume était très ancienne et ne mentionnait encore que cinq postes : à l'administration centrale (1999-2002), Premier secrétaire au Caire (2003-2007) puis conseiller culturel à Brasilia (2007-2011) et ensuite Consul général à Rio (2011-2013). Au cabinet du ministre de la Francophonie (depuis 2015).

C'était un parcours professionnel de bon élève, sans aspérité ni anomalie visibles. Seul un détail pouvait susciter des interrogations : l'affectation à deux postes consécutifs dans le même pays, comme conseiller culturel à Brasilia puis comme consul général à Rio. Cependant, une telle succession n'avait rien d'exceptionnel et ne revêtait pas nécessairement une signification particulière.

Un autre détail frappa Aurel et vint corroborer l'hypothèse qu'il avait formulée en pensant aux « amis » invoqués par le chef de poste. Le cabinet du ministre de la Francophonie, à l'époque où Carteyron s'y trouvait, était dirigé par l'ancien ambassadeur au Mozambique. M. du Pellepoix avait été témoin, à ses dépens, des talents d'enquêteur qu'Aurel était capable de déployer quand une affaire l'intéressait. Il était tout à fait possible qu'il en ait parlé à Carteyron, ce qui pourrait expliquer la méfiance de celui-ci.

En pianotant sur son clavier, Aurel se lança ensuite à la recherche de photos. Il en découvrit plusieurs de l'ambassadeur à des âges différents. Sur la plus ancienne, il figurait au milieu de ses camarades dans sa promotion de l'ENA et pouvait avoir vingt-cinq ans. On le distinguait assez mal mais suffisamment pour le reconnaître et noter qu'il était beaucoup plus mince. Son visage était extrêmement juvénile, ses cheveux bien peignés et il avait l'air fragile et timide. Il conservait la même silhouette fluette et les mêmes traits immatures sur deux clichés datant de la période où il était au Caire. Le premier signe d'un changement d'apparence était perceptible sur une photo tirée de la « colonne sociale » (c'est-à-dire mondaine) d'un quotidien brésilien alors qu'il venait d'être nommé consul général à Rio.

Les photos de Marie-Virginie étaient beaucoup plus rares, et Aurel ne découvrit aucun portrait en gros plan. On la voyait toujours au milieu de groupes ou à côté de son mari. Le cliché le plus ancien remontait à la période précédant son mariage. Elle figurait au sein d'une équipe de quatre filles qui s'étaient distinguées dans un tournoi de badminton. On retrouvait sur cette image les traits réguliers et l'expression noble qu'Aurel avait notés sur le portrait qu'il avait pu regarder un instant dans la salle d'attente de l'Ambassadeur. Il s'y ajoutait la réserve et la retenue modeste d'une jeune fille bien élevée. Quoique la photo fût prise en plein air et avec un beau soleil, Aurel ne put s'empêcher de penser que ces sportives sentaient le couvent et l'éducation des bonnes sœurs. Tout cela évoquait la bourgeoise catholique de province.

Avant de tirer ces documents sur papier, il fit un tour chez Amélie pour lui demander où était placée l'imprimante du service consulaire. Elle se trouvait justement dans son bureau. Il revint à son ordinateur, lança l'impression des clichés et courut attendre qu'ils sortent. Il s'en saisit avec un air dégagé et repartit sans donner d'explication, car, d'où elle était placée, la jeune consule ne pouvait pas avoir vu ce qu'il avait tiré.

Ensuite, il continua de surfer sans rien découvrir d'intéressant, consulta les sites d'actualité, écrivit un mail à son filleul en Roumanie, dont c'était l'anniversaire. De temps en temps, à travers le Velux, il voyait tournoyer des oiseaux de mer et son esprit s'évadait en les suivant.

Finalement, à dix-sept heures, il quitta le bureau. Après avoir fait quelques courses dans un petit magasin d'alimentation, il rentra chez lui. Il avait vraiment hâte que son déménagement arrive. Son piano lui manquait terriblement. Il eut soudain une frayeur. Et si la DRH, en attendant que son sort soit définitivement fixé, avait bloqué l'expédition ? Le conteneur, à ce qu'il savait, n'avait pas encore quitté le garde-meubles où il était entreposé depuis son retour en France…

Il y avait pensé, sans doute par association d'idées, tandis qu'il passait devant un magasin qui présentait des pianos électroniques en vitrine. Il entra par curiosité et essaya un clavier qu'on pouvait poser sur une table. Il ne se décida pas à l'acheter mais saisit l'occasion pour acquérir un réveil et un petit appareil photo de poche.

Sitôt rentré, il ferma les rideaux et se livra au rituel qu'il retrouvait avec plaisir chaque fois qu'il entreprenait de résoudre une énigme. Il ne l'avait pas fait si souvent dans sa vie mais il constatait qu'il avait fini par se construire une méthode bien à lui, en laquelle il avait confiance.

À l'aide d'un rouleau de Scotch, il colla sur un des murs blancs du salon les photos de Gilles de Carteyron d'un côté et de sa femme de l'autre. Puis il alla chercher une bouteille de blanc dans le réfrigérateur et se cala dans un canapé, en face des clichés.

Tout cela était habituel, presque routinier, et il se sentait bien. Il laissa vaguement divaguer son esprit en s'imprégnant des photos. Tout lui apparaissait clair, facile. Il s'en réjouissait mais ne retrouvait pas l'excitation qu'il avait pu connaître en menant d'autres enquêtes. L'enjeu, pour celle-ci, le concernait pourtant directement. Il s'agissait pour lui de connaître enfin un long moment de bonheur dans une ville qu'il aimait déjà, ou, au contraire, de retomber dans l'errance et les douleurs de la relégation. Cependant, mis à part la question de son destin personnel, il ne trouvait pas grand-chose d'intéressant à ce couple. Un jeune homme issu d'une famille riche, né dans un château, beau parti, brillant étudiant, épouse une fille élevée probablement dans un couvent, saine, sportive, réservée comme il convient à une épouse de diplomate. Il lui fait deux enfants. Elle le suit dans une carrière habile qui lui permet d'être nommé ambassadeur à quarante-cinq ans.

Au fil du temps, le mari épaissit, sort et sans doute rencontre d'autres femmes. Toutes les conditions sont réunies pour que survienne une crise. Dans ces milieux traditionnels, l'idée du divorce est encore mal acceptée. N'est-il pas plus simple de recourir au crime passionnel, surtout dans un pays lointain où les capacités d'enquête sont plus limitées, surtout quand il s'agit d'étrangers, et encore plus de diplomates ?

Était-il inenvisageable pour un homme tel que Carteyron de profiter d'un voyage de sa femme dans une zone de non-droit, une contrée lointaine et semi-autonome, pour provoquer un accident dont elle serait en apparence la victime ? Aurel avait lu quelque part que les excursions en montagne offrent des occasions de crime idéales et que de nombreuses morts présentées comme accidentelles sont en réalité des homicides.

Tout cela était encore à l'état d'hypothèse. Il lui faudrait à tout prix se rendre sur place pour recueillir des preuves. Mais le cadre d'ensemble, le climat affectif de l'affaire était celui-là. Aurel était presque déçu par cette facilité.

Cela ne l'empêcha pas de finir la bouteille de blanc, mais il se mit au lit assez tôt et sans ressentir une particulière excitation. Pour un peu, il aurait eu l'impression d'accomplir un travail et non de se livrer à une passion. Il bâilla moins de fatigue que d'ennui et s'endormit en pensant à ce qu'il aurait à faire les jours suivants.

*

En arrivant à l'ambassade le lendemain matin, Aurel perçut tout de suite que quelque chose avait changé. Jean-Louis discutait à voix haute avec la femme de ménage qui briquait la rampe de cuivre de l'escalier d'honneur. Au premier étage, le personnel circulait dans les couloirs, de petits groupes s'assemblaient pour bavarder. Certains parlaient fort au téléphone, en laissant la porte de leur bureau ouverte. En un mot, une atmosphère normale était revenue dans le bâtiment. Aurel ne mit pas longtemps à en comprendre la raison : l'Ambassadeur était en déplacement pour la journée.

Les jours précédents, à cause de son retour, la retenue qu'imposait le deuil était terminée puisque le veuf lui-même adoptait un comportement normal. On en revenait donc au petit jeu du chat et de la souris. Quand il n'était pas là, elles dansaient. Seule la présence physique de l'autorité faisait revenir les conversations à voix basse et les pas feutrés.

Aurel laissa lui aussi la porte de son cagibi ouverte et il se mit à l'ordinateur en s'étonnant lui-même de son zèle. Il s'était fait un petit programme et retrouvait presque dans cette enquête la routine qu'il avait toujours fuie dans ses fonctions consulaires…

Il passa la matinée à se renseigner sur les vols pour le Nakhichevan, sur le moyen d'obtenir les autorisations pour s'y rendre et sur les prétextes qu'il pourrait inventer pour s'absenter trois jours. Ses recherches ne furent pas très fructueuses.

Pour un titulaire de passeport diplomatique, il fallait de bonnes raisons de visiter ce territoire contigu avec l'Iran. Plusieurs articles de journaux américains signalaient que c'était une zone de trafic intense et que la frontière, mal surveillée, permettait de faire passer en Iran de nombreux produits soumis à l'embargo international. Journalistes et diplomates n'étaient pas les bienvenus. Par ailleurs, Amélie, qu'Aurel avait sondée discrètement, lui avait catégoriquement déconseillé de s'absenter, si peu que ce fût, et surtout pour des motifs fallacieux.

Il termina la matinée assez désespéré.

Il attendit l'heure du déjeuner pour mener la petite expédition qu'il avait projetée dans la salle d'attente de l'Ambassadeur. Vers douze heures trente, alors qu'il s'attendait à être tranquille, il vit débarquer dans son bureau tout un groupe de secrétaires. Elles partaient déjeuner et l'invitaient à se joindre à elles. Il accepta et se retrouva dans la rue, un peu étourdi au milieu de quatre femmes qui riaient et parlaient fort.

La meneuse du groupe était une certaine Mylène, qu'il n'avait pas rencontrée lors de sa visite des locaux. Elle était pourtant rattachée au consulat mais travaillait dans une annexe consacrée à l'état-civil et située à l'entresol, côté cour.

Elle lui en fit le reproche en plaisantant.

— Évidemment, moi, on ne vient jamais me voir. Je suis dans mon trou à rats et ce n'est pas assez chic pour ces messieurs-dames de l'étage noble...

Le premier détail qui frappait chez Mylène était sa coiffure : une sorte de chignon-choucroute inspiré des années soixante, d'un blond suspect dont on ne savait s'il était teint ou décoloré. Une abondante couche de laque donnait à l'ensemble une allure de casque. Mylène, à l'évidence, aimait les couleurs. Elle avait ce jour-là choisi une robe à ramages avec une coupe compliquée. Elle ne perdait jamais une occasion de rappeler qu'elle était fille de militaire. Son père avait fini quartier-maître dans la marine. Peut-être était-ce pour cette raison que son maquillage était de type patriotique : bleu (sur les paupières), blanc (sur le nez) et rouge vif généreusement tartiné sur les lèvres. Elle parlait fort. Sa voix gouailleuse dominait celle des autres et s'entendait de loin.

— Vous avez entendu parler du café Araz, monsieur Aurel ? claironna-t-elle. Non ? Alors, il faut qu'on vous y emmène, hein, les filles ?

Mylène prit la tête de la troupe et ils remontèrent la rue de l'ambassade jusqu'à la grande place qui bordait les remparts. Le café Araz est une institution à Bakou depuis les années cinquante. C'est une sorte de hangar allongé, tapi sous de grands arbres qui forment une voûte au-dessus de lui. On s'attend à y trouver Humphrey Bogart ou Marcello Mastroianni. Mais au lieu de Sophia Loren, c'est Mylène et ses copines, suivies par Aurel, qui y firent une entrée remarquée. Mylène embrassa les serveurs en les gratifiant de quelques mots en langue azérie. Ils prirent place autour d'une grande table en bois qui ressemblait à un meuble de jardin.

— Vous connaissez tout le monde, ici, plaisanta Aurel.

— Forcément. Ça fait plus de trente ans que je viens. C'est que j'ai connu douze ambassadeurs de France, figurez-vous.

Il était difficile de lui donner un âge. Aurel se dit qu'elle ne devait pas être loin de la retraite. Cependant elle affichait un dynamisme supérieur à celui de ses collègues qui étaient certainement plus jeunes qu'elle. Elle fit les présentations rapidement. Layla était une recrutée locale, tout juste sortie de ses études. Elle s'occupait de la coopération universitaire. Une dénommée Gisèle travaillait au service de presse de la chancellerie. À la différence de Mylène, qui se battait pied à pied contre les ravages du temps, Gisèle ne teignait pas ses cheveux gris et ne faisait rien pour dissimuler les rides qui chiffonnaient le bas de son visage.

— Française, fit Mylène en la désignant du menton. Comme moi. Je suis une Auvergnate d'Aurillac.

— Ah ! l'aligot… commenta Aurel poliment.

— Je vois que vous appréciez les bonnes choses, fit Mylène en minaudant.

Puis elle poursuivit son tour de table.

— Je disais donc, à propos de Gisèle : mariée à un Azéri. Comme moi. Sauf qu'elle, elle l'est toujours. Elle est plus patiente. Ou plus bête. Allez, rigole, quoi !

Gisèle risqua un pâle sourire qui fit briller ses yeux et lui redonna un peu de sa beauté de jeunesse.

— Enfin Jacline. Avec un C, je vous prie. Elle ne fait rien comme tout le monde. Sauf les enfants, pas vrai ? Et ça doit bien lui plaire parce qu'elle en a cinq.

Elles commandèrent les plats en parlant toutes en même temps. C'était à qui présenterait à Aurel les meilleures spécialités locales. Elles insistèrent pour lui faire retirer sa veste. Mylène tirait sur une manche et les autres riaient fort. Finalement Aurel se laissa faire.

— C'est que ça vous va bien, la chemise blanche ! dit Jacline.

— Blanche… blanche… Elle est un peu jaune, sa chemise. Elle ne doit pas dater d'hier.

— Je l'ai achetée à Londres il y a plus de quinze ans.

— Eh bien, elle n'en fera pas seize !

— Vous devriez en profiter pour renouveler votre garde-robe. Je connais un bon tailleur, ici. Tu vois qui je veux dire, Jacline ?

— Oui ! Et bien dans son style.

— C'est-à-dire cent pour cent apparatchik. C'est un ancien magasin du Parti du temps des Soviétiques…

Elles éclatèrent toutes les quatre de rire. Aurel, qui se serait vexé en d'autres circonstances, rit de bon cœur avec elles.

Autant il se montrait intimidé avec les femmes qui l'impressionnaient, c'est-à-dire celles qui, de façon souvent inexplicable, représentaient pour lui une sorte d'idéal presque surnaturel, autant il pouvait se sentir à l'aise et se montrer familier au milieu d'une bande de copines, surtout si elles étaient simples et même un peu vulgaires. Cela lui rappelait ses années de vache enragée quand il était arrivé à Paris, jouait du piano dans un music-hall et riait avec les danseuses de la revue.

— Allez, on se tutoie, proposa Mylène en levant sa chope.

Dans les postes, le tutoiement est quasi automatique entre agents de même niveau. Par son rang modeste, Aurel était assimilé au personnel d'exécution. En général cependant, personne ne le tutoyait. Non qu'il fût particulièrement respecté. Mais sa bizarrerie le situait ailleurs, on ne savait pas très bien où, en tout cas dans un autre monde et on s'en méfiait. Mylène ne s'arrêtait pas à ce genre d'obstacles.

— Eh bien, d'accord, concéda Aurel que l'ambiance mettait de bonne humeur.

Le serveur apporta des bières pour ces dames et un verre de blanc pour lui. Ils trinquèrent bruyamment, en se regardant bien dans les yeux.

— Comment est-ce que tu t'es retrouvé consul de France avec un accent pareil ? demanda Jacline.

Elles l'avaient visiblement invité pour se moquer un peu de lui. Il joua le jeu, leur raconta son parcours, l'émigration, la musique dans les bars, son éphémère mariage, le beau-père qui l'avait fait entrer dans la diplomatie, les postes éprouvants... Elles se régalaient.

— Comme ça, tu joues du piano ? s'était étonnée Mylène.

Il avait opiné silencieusement car il était en train de mâcher un morceau de chèvre rebelle.

— Oh, vous jouez de la musique ! s'écria Layla. Moi aussi…

Elle s'arrêta net et rougit de son audace. Mylène lui décocha un regard furieux.

— Tu ne vas pas nous casser les pieds avec ton violon et ta grande musique, lui lança-t-elle.

Visiblement, la jeune Azérie n'était tolérée dans le groupe que si elle se tenait à carreaux. Mylène, l'ayant remise à sa place, se tourna vers Aurel.

— Nous, ce qu'on aime, c'est la variété, le jazz, tout ce qui se danse. Si tu as joué dans des bars, tu dois savoir.

— Oh, tu nous feras un concert, un jour ? surenchérit Jacline, en frétillant.

Aurel promit tout ce qu'elles voulaient. Elles croyaient le mener à leur guise, mais il ne faisait que leur jeter ces miettes pour les rassasier et pouvoir, à son tour, poser des questions.

Il les amena peu à peu sur le terrain de la mort de l'ambassadrice. Il pensait qu'elles allaient l'aider à étayer ses premières conclusions. Au contraire, elles détruisirent ses maigres certitudes et leurs propos le stupéfièrent.

IV

Mylène et ses copines étaient un peu assoupies par la bière.

— Je regrette d'être arrivé après la mort de l'Ambassadrice, confia Aurel, sans avoir l'air d'y attacher trop d'importance. J'aurais été très curieux de la connaître.

Personne dans le groupe ne semblait pressé de lui répondre. Il insista.

— J'ai vu les photos d'elle qui sont dans la salle d'attente. Elle était très belle.

— Moui, grogna Jacline qui guerroyait avec sa côtelette de mouton.

— Elle avait l'air très réservé. Et si simple...

En entendant ces mots, Mylène n'y tint plus. Elle posa brutalement ses couverts et regarda Aurel.

— On n'aime pas trop parler de ces sujets-là, tu vois. La vie privée des patrons, c'est leur affaire. Mais je ne peux pas te laisser raconter n'importe quoi quand même.

— Qu'est-ce que j'ai dit de mal ?

— « Simple ».

— Et alors ?

— Alors, s'il y a bien quelque chose qu'elle n'était pas, cette pauvre femme, c'était « simple ».

— Tu veux dire qu'elle était compliquée ?

— Non. Je veux dire ce que je dis. Elle n'était pas simple.

— Pas du tout, même, renchérit Jacline.

— Expliquez-moi.

— Eh bien, c'était une grande dame. Je t'ai dit que j'avais connu douze ambassadeurs. Ça veut dire que j'ai connu aussi beaucoup d'épouses. Pas douze, parce que certains n'étaient pas mariés.

— Ou pas avec des femmes.

— Tais-toi, Jacline. Je t'ai déjà expliqué qu'il ne fallait plus parler comme ça.

Gisèle se tassait sur sa chaise quand Mylène haussait la voix, même si ce n'était pas elle qu'elle interpellait.

— Bref, j'en ai connu beaucoup, je disais. Jamais, tu m'entends, Aurel, je n'en ai rencontré une comme ça.

— Comme ça comment ?

— Hautaine.

— Je dirais plutôt lointaine, se hasarda Jacline, la bouche pleine.

— Lointaine, hautaine, ne joue pas sur les mots. Tiens, on pourrait aussi bien dire « châtelaine ».

— Pourquoi « châtelaine » ? sursauta Aurel.

— Parce que c'est ce qu'elle était. Ses parents étaient propriétaires d'un grand domaine dans le Midi avec un château dessus.

— La Bastide d'Oule ?

— Donc tu le savais, Aurel ! Pourquoi fais-tu semblant de me tirer les vers du nez ?

— Non, je ne le savais pas. Je croyais que c'était lui, l'Ambassadeur, qui était né là-bas.

— Oui. Forcément.

— Pourquoi « forcément » ?

— Mais parce que son père était le régisseur du domaine.

— Le père de Gilles de Carteyron ?

— Oui. Son père.

— Mais j'ai vu que sa femme était née à Paris.

— Parce que ses parents n'habitaient pas toute l'année au domaine. Ils étaient assez riches pour avoir un appartement à Paris. Et un autre à Cannes.

— Et un à Megève.

Aurel se troubla et resta silencieux. Ainsi, il s'était trompé du tout au tout. Il eut un dernier sursaut de doute.

— Et comment sais-tu cela ?

— Parce que Mylène sait toujours tout, osa Gisèle.

Aurel se demanda si elle admirait à ce point Mylène ou s'il s'agissait d'une sorte de syndrome de Stockholm qui l'avait conditionnée à dire du bien de sa persécutrice.

— Et donc, ça la rendait hautaine d'être née dans un château… ?

— Pas avec tout le monde. Elle faisait très bien le boulot de représentation. Quand il y avait des invités à la résidence, ou quand eux étaient invités dehors, son mari et elle, elle était aimable.

— C'est avec le personnel qu'elle était hautaine ?

— Elle nous ignorait.

— Elle nous traitait de haut, précisa Jacline.

— Il a compris. Ça vient d'où, « hautaine », à ton avis ?

— De « haut ».

— Voilà.

— Il y a quand même des agents avec qui elle s'entendait bien.

C'était Layla qui avait meublé le silence, avec sa petite voix claire qu'on entendait de loin, malgré le bruit du restaurant.

— De qui veux-tu parler ? attaqua Mylène en fixant Layla pour voir si elle aurait le toupet de parler de son cas personnel.

— Amélie, par exemple.

— Oui. Oh, celle-là, elle n'est pas toute simple non plus.

Aurel éprouva le besoin de s'interposer car toutes regardaient Layla et il sentit qu'elle n'était pas tirée d'affaire.

— Et avec son mari, comment s'entendait-elle ?

— Dis donc, mon vieux ! Tu en as de bonnes. On n'entre pas dans les alcôves, nous autres.

— Je veux dire, ils étaient tout le temps ensemble ?

— La résidence occupe le dernier étage de l'ambassade, comme tu sais. Aucun d'entre nous n'y monte jamais. Alors, ce qui s'y passe…

— C'est vrai qu'elle était souvent absente, avança Jacline. Et elle circulait beaucoup dans le pays pour ses photos de châteaux. L'an dernier, elle est restée en France pendant trois mois.

— Pardi, ses deux parents sont morts coup sur coup. À six semaines d'intervalle, les pauvres. Cancer et AVC.

— Il a fallu qu'elle s'occupe de la succession, tout ça…

— Elle était fille unique ?

— Apparemment.

— Oui, c'est sûr, confirma Layla.

Elle n'osa pas ajouter : « Elle me l'a dit », mais les autres la regardèrent méchamment tout de même.

— Ce qui veut dire qu'elle a hérité du château ?

Mylène allait répondre à Aurel mais elle se retint et le fixa. Il regretta sa question qui sentait un peu trop l'enquête. Il enchaîna avec un autre sujet.

— Donc, elle était photographe…

— Elle le prétendait mais je crois qu'elle n'a jamais vendu une photo de sa vie.

— C'est ça les gens qui n'ont pas besoin de travailler.

— Au fait, coupa Gisèle, en tapotant sur le cadran de sa montre.

— Oui, il faut y aller les filles, clama Mylène. Yossip, l'addition, s'il te plaît. Sortez les calculettes, on va diviser.

— Laissez, clama Aurel. Allez-y. C'est pour moi.

— Mais en quel honneur ?

— Mon arrivée. J'ai été ravi de faire votre connaissance à toutes les quatre.

Elles l'embrassèrent l'une après l'autre. Il était rouge, avec le vin.

Mylène, en sortant du café, se retourna et lui envoya un baiser en soufflant sur sa paume. Quand il se rendit compte que tous les clients qui déjeunaient dans la salle souriaient, il se troubla, remit son veston, rajusta sa cravate et alla payer à la caisse d'un pas digne.

*

Au bureau, l'après-midi, il resta assis à rêver, les bras croisés, un peu saoul, et n'ouvrit même pas l'ordinateur. Ses pensées, d'abord confuses, s'organisaient autour d'une évidence : il s'était complètement trompé.

La veille au soir, en collant quelques petites photos au mur et en sirotant une bouteille de blanc, il n'avait pas travaillé correctement. Il s'était contenté de singer ce qui lui avait permis de faire aboutir d'autres enquêtes, mais ce n'était pas sérieux.

L'intuition n'est pas une plaisanterie. En elle-même, elle n'est rien. Comme pour une prophétie, comme pour les borborygmes de la Sibylle, tout est affaire d'interprétation. C'est un domaine aussi rigoureux que la police scientifique, à sa manière. Il faut être dans un état de transe, d'abandon, d'écoute.

Aurel n'avait encore jamais réfléchi en ces termes. Jusque-là, les choses s'étaient imposées à lui. Mais là, il s'était terriblement planté et il lui fallait se ressaisir, réfléchir à sa méthode.

À un moment de ces réflexions, il s'assoupit et un grognement le réveilla. Il avait dû ronfler. Il espéra qu'on ne l'avait pas entendu sur le palier.

De son bref sommeil il avait rapporté une autre idée : Bakou était trop confortable. Les raisons mêmes pour lesquelles il aimait cette ville rendaient plus difficile d'y écouter ses voix intérieures. Lorsqu'il séjournait dans des pays tropicaux difficiles, il n'avait pas de mal à s'abstraire du réel. Il était tout le temps plus ou moins ailleurs, dans cet ailleurs où il cherchait la réponse aux énigmes qu'il tentait de résoudre. Ici, la vie lui était douce et il tenait à tout prix à rester. La conséquence, c'était qu'il s'abandonnait à la réalité, qu'il s'y sentait bien et qu'il avait du mal à la quitter pour retrouver son monde intérieur.

Soudain, il sursauta et se redressa.

Et puis il y avait le piano ! Bien sûr... Comment ne pas s'en être rendu compte ? Il ne pouvait s'évader en esprit qu'avec un piano. Ce n'était pas un simple accessoire. Son piano jouait le rôle du bâton du chaman, du tambour du sorcier, de la baguette du magicien. Sans lui, à supposer qu'il parvînt à entrer dans le monde des esprits, il ne pouvait espérer s'y frayer un chemin.

Où se trouvait-il, en ce moment, son piano droit de bastringue, avec ses bougeoirs en cuivre et son capot déformé par les doigts d'un douanier ? Il ouvrit l'ordinateur et envoya un message au garde-meubles pour savoir si son déménagement avait été expédié. Quelle que fût la réponse, il ne pouvait perdre de précieux jours à attendre. Il lui fallait trouver une solution tout de suite.

Il réfléchit encore quelques minutes puis se leva et enfila son pardessus. Il descendit l'escalier de service et prévint Jean-Louis qu'il allait faire une course.

— Tu n'as pas besoin de revenir, l'encouragea le garde. L'Ambassadeur n'est pas là.

— Sais-tu s'il rentre aujourd'hui ?

— C'est toujours difficile à prévoir, mais vu qu'il est parti à Khachmaz pour assister à un meeting du Président, je pense qu'on ne le reverra que demain.

Dans la rue, Aurel eut un moment d'hésitation mais il finit par se souvenir du chemin. Le magasin d'électronique était situé dans une rue parallèle. Les vendeurs étaient assez désœuvrés et ils s'empressèrent. Vingt minutes plus tard, Aurel ressortait avec un énorme carton. Les vendeurs l'aidèrent à le charger dans un taxi.

Il monta chez lui avec le paquet, en soufflant à chaque palier. Puis il déballa fébrilement son achat. C'était un clavier moins large que celui d'un véritable piano mais tout de même, il permettait de disposer de cinq octaves. Bien que l'appareil comportât plusieurs réglages, il ne serait pas possible de lui faire rendre les inimitables sonorités du vieil instrument qu'il aimait. Peu importait. Il pouvait jouer. Surtout, il pouvait improviser et se laisser aller, installer ce dialogue entre le rêve et la mélodie, l'un se nourrissant de l'autre, et ceci jusqu'à quitter complètement le monde environnant.

Il sortit faire quelques courses, dîna rapidement, se mit en robe de chambre, changea la disposition des meubles pour pouvoir jouer face au mur sur lequel il avait collé les photos. Il commença par une demi-heure sans songer à rien d'autre qu'à la musique. Il enchaîna Bach, Mozart et Schumann. Puis, étant parvenu à une disposition d'esprit romantique et apaisée, il braqua les yeux sur les clichés qui représentaient le couple Carteyron.

Il n'y avait pas grand-chose à en dire puisque Mylène lui avait donné la solution et qu'il n'avait pas apporté de nouveaux documents. Il revisita seulement ses impressions et s'imprégna de la nouvelle réalité que prenait chacun des deux personnages, maintenant qu'il connaissait leurs origines et leurs relations.

La joueuse de badminton montrait l'assurance d'une fille de bonne famille, d'une héritière, sûre de sa puissance et de son destin. Sur les photos de groupe où elle apparaissait, Marie-Virginie de Carteyron irradiait toujours une sorte d'assurance calme, de supériorité discrète et qui s'efforçait de ne jamais apparaître de façon trop écrasante. Aurel lui-même s'était laissé prendre à cette trompeuse modestie. Maintenant il remarquait la manière dont les autres se plaçaient autour d'elle, la légère distance que conservaient ceux qui l'approchaient, le regard fasciné des hommes vers elle. Ces détails montraient assez qu'elle était dotée d'une aura particulière qui n'était pas seulement due à sa beauté.

Quant au jeune Gilles, Aurel voyait bien maintenant comment, parmi ses camarades de l'ENA, il faisait figure d'étudiant modeste. Il n'avait pas su, et probablement pas osé, se placer bien en vue pour la photo de sa promotion. Il était relégué sur le côté et en haut, toléré plus qu'intégré au milieu de fils de famille convaincus de leur bon droit à faire partie de l'élite.

Sur les clichés du Caire, il avait laborieusement acquis les codes vestimentaires de la caste à
laquelle il appartenait désormais. Mais c'était en
conservant l'air d'un enfant qui se montre obéis-
sant pour être certain qu'on va l'accepter.

Aurel sentait bien qu'il forçait le trait dans
l'autre sens, après ce que Mylène lui avait appris.
Pour aller plus loin et se faire sa propre idée, il
fallait absolument qu'il se procure d'autres
images. Il s'y attellerait dès le lendemain.

Le point essentiel était de parvenir à cerner le
moment où s'était opérée la transformation. À
une époque, Carteyron avait changé. Il avait bas-
culé et était devenu le personnage brutal et
cynique qu'il était aujourd'hui. Comment et où
cela s'était-il passé ? De quelle manière sa femme
avait-elle vécu cette transformation ? Jusqu'où
était allée la crise entre eux ?

Aurel ne cessait de penser à la question finan-
cière. Marie-Virginie était morte peu après avoir
hérité de la fortune de ses parents. Il ne parvenait
pas à y voir une coïncidence mais il n'était pas
non plus capable d'établir un lien entre les deux
événements.

Il était clair qu'il ne disposait pas encore d'éléments suffisants pour répondre à ces questions.
Mais il était clair aussi que toutes ces informations venaient apporter force et vigueur à sa

conviction profonde. Ce couple recelait un secret et Marie-Virginie de Carteyron n'était pas morte par hasard.

*

Le lendemain était vendredi. Beaucoup d'agents avaient pris des RTT et l'ambassadeur n'était pas rentré. Il était vraisemblable qu'il resterait absent tout le week-end.

Les bureaux de l'ambassade étaient presque vides. Aurel, sous un prétexte futile, passa voir Azelma et constata que son esclave n'était pas là. Il était donc tranquille pour opérer dans la salle d'attente de l'ambassadeur.

Il sortit le petit appareil photo de poche qu'il avait acheté et dont il avait appris le maniement la veille au soir, en lisant la notice dans sa version roumaine.

Méthodiquement, tout en guettant les bruits du côté du bureau de la secrétaire (mais Azelma, une fois installée sur sa chaise, n'en bougeait plus de la journée), il photographia l'un après l'autre les cadres qui étaient exposés sur la table.

Puis il fourra l'appareil dans sa poche et ressortit dans la galerie circulaire. Avant de retourner à son cagibi, il alla voir si Amélie était arrivée. La porte de son bureau était entrouverte. Il frappa doucement, trop sans doute, car quand il passa la tête, il comprit qu'Amélie ne l'avait pas entendu. Elle était de trois-quarts et regardait la fenêtre. Elle sursauta au moment où elle sentit une présence. Quand elle se retourna, Aurel vit des larmes couler sur ses joues. Il était affreusement gêné et voulut se sauver. Mais Amélie l'appela.

— Entrez, dit-elle en s'essuyant les joues du dos de la main. Ce n'est rien.

Avec une femme plus mûre, Aurel aurait perdu tous ses moyens et se serait sans doute effondré. Cependant, il continuait de prendre Amélie pour sa petite cousine et il réagit comme si elle était tombée de sa balançoire. Il s'assit devant elle et lui demanda d'une voix douce :

— Pourquoi êtes-vous triste, Amélie ?

Pour le coup, c'est elle qui s'attendrit.

— Vous êtes trop gentil, Aurel.

— Vous pouvez me parler, vous savez.

— Oui, je sais. Mais je vous dis : ce n'est rien.

Comprenant à son regard insistant qu'elle ne s'en tirerait pas à si bon compte, elle lâcha un peu de lest.

— Il faut que je vous dise que je suis diabétique. Depuis l'âge de treize ans. Vous voyez, je suis habituée.

— Diabétique avec de l'insuline et tout ?

— Oui.

— C'est terrible.

Aurel avait toujours eu très peur des maladies. Pour lui, elles étaient toutes contagieuses. Faute de faire la différence, il craignait autant d'attraper un accident vasculaire que le choléra quand il approchait d'un malade.

— Non, ce n'est pas si terrible. D'ailleurs, j'ai appris à vivre avec. Malgré tout, parfois, quand le sucre baisse, on peut devenir plus sensible. C'est seulement ça qui m'arrive.

Aurel regardait la jeune femme droit dans les yeux. Il y retrouvait la couleur bleu-vert de ceux de sa cousine et cette similitude abolissait le temps. Il avait huit ans, à Bucarest, et, ingénument, comme un enfant qui découvre avec effroi la douleur d'un autre, il tendit la main par-dessus le bureau et saisit le poignet d'Amélie.

— Ce n'est pas seulement ça. Racontez-moi. Vous pouvez avoir confiance.

Il est des circonstances où la dureté console mieux que la douceur. La sollicitude d'Aurel fit revenir les larmes dans les yeux d'Amélie.

— Des affaires de cœur. C'est sans importance.

Elle essaya de rire.

— Ne vous embêtez pas avec ça.

Aurel ne comprenait rien sinon qu'il n'était pas un interlocuteur adéquat pour le genre de soucis qui accablaient Amélie.

— Vous n'avez personne à qui vous confier ici ? Pas d'amie...

— J'en avais une.

Irritée par cet aveu, Amélie retira sa main et regarda vers la fenêtre.

— Peu importe.

— C'était Marie-Virginie, n'est-ce pas ?

Elle se tourna vivement vers Aurel.

— Qui vous l'a dit ?

— Je me trompe ?

— Non.

— J'aimerais que vous me parliez d'elle.

Amélie réfléchit, comme si elle passait mentalement en revue des souvenirs chers.

— C'était une femme extraordinaire. Que pourrais-je vous dire ? Il y avait une sorte de flamme en elle, quelque chose de solaire. Je crois que de toute sa vie, elle n'a jamais dû avoir une pensée médiocre. Elle avait en elle des trésors d'amour.

— Elle aimait son mari ?

Amélie avait les yeux brillants en parlant de Marie-Virginie, mais il sembla à Aurel que sa question avait un peu douché l'enthousiasme de la jeune femme.

— Elle l'avait aimé, oui, commenta-t-elle sans conviction.

— Mais maintenant ? Ces dernières années ? Ces derniers mois ?

Au moment où elle allait répondre, Amélie se troubla.

— Je préfère ne pas parler de tout cela ici. Ce n'est pas le lieu.

— Vous pensez qu'on pourrait nous écouter ? Sortons, si vous voulez.

— Impossible. J'ai du travail. Les sénateurs arrivent lundi. J'ai encore pas mal de choses à préparer pour les accueillir. Le premier conseiller a pris ses vacances et c'est à moi de tout gérer.

Aurel prit une mine contrariée qui la fit sourire. Elle éprouva à son tour le besoin de le consoler.

— Surtout, ici, ce ne serait pas très discret. Mais si vous voulez, ce week-end, je vais visiter les pétroglyphes de Qobustan. Je n'ai encore jamais eu l'occasion d'y aller. Accompagnez-moi et comme ça, on pourra parler.

Aurel se redressa comme un pantin dont on aurait tiré les ficelles. Amélie rit franchement.

— Dimanche ? dit-elle.

— Dimanche.

— Je passerai vous prendre en bas de chez vous à onze heures du matin.

— D'accord !

Aurel était déjà debout. Il aurait bien embrassé sa petite cousine mais il s'avisa tout d'un coup que c'était une femme désormais et se reprit. Il s'apprêtait à ouvrir la porte quand elle demanda à voix basse :

— Vous m'expliquerez ce que vous avez fait à l'Ambassadeur.

— Mais… rien.

— C'est impossible. Il est fou de rage contre vous. Je ne peux pas croire que ce soit seulement à cause du travail. Il a l'air… de vous craindre. Il veut qu'on lui rapporte tous vos faits et gestes. Vous savez que le poste de garde enregistre vos allées et venues ?

Aurel comprit que ces remarques n'étaient pas seulement une interrogation mais aussi une discrète mise en garde. Il se demanda tout à coup si quelqu'un avait pu l'observer pendant qu'il photographiait les cadres.

— Je ne sais pas, moi. Mais j'ai mon idée. Je vais vérifier quelques petites choses et je vous dirai.

— *Take care.*

Aurel descendit. Il remarqua en effet que Jean-Louis regardait sa montre quand il passa. Il devait y avoir un registre à l'entrée pour consigner ses mouvements. Il s'en inquiéta un peu.

Mais l'avertissement d'Amélie compensait largement ce désagrément. C'était un premier signe de complicité.

Désormais, dans son enquête, il n'était plus seul.

*

Aurel était si heureux, tout à coup, si plein d'espoir, qu'il s'accorda un samedi entier pour flâner.

Il alla voir à la synagogue comment se déroulaient les cérémonies de shabbat. Il n'était pas très religieux mais chaque tradition lui rappelait une des branches de sa famille. Chez les orthodoxes, il retrouvait le côté de son père, même si celui-ci était un athée militant.

Le monde juif était celui de sa pauvre mère, dont ç'aurait dû être l'anniversaire précisément cette semaine. Il lui fit cadeau d'une dévotion qui, en temps ordinaire, n'était pas très sincère. Il s'efforça de la rendre plus sérieuse, en pensant à elle.

En sortant, il se mêla à une petite troupe de familles juives qui l'invitèrent à partager des jus de fruits et des gâteaux, dans la salle de réunion attenante au temple. Avec ce qui lui restait de russe, appris sans enthousiasme à l'époque communiste, il parvenait à se faire comprendre tant bien que mal des Azéris, au moins les plus âgés. La jeune génération parlait plutôt anglais. On lui demanda d'où il venait, sa profession, s'il était marié. Ses réponses déclenchaient des discussions puis des rires. Il aurait bien prolongé ce moment chaleureux mais l'orangeade l'écœurait et il avait une furieuse envie d'un verre de blanc. Il prit congé en serrant toutes les mains et en embrassant les enfants.

Il allait traverser le vestibule quand un gaillard moustachu le retint par le bras et, à voix basse, essaya de lui expliquer quelque chose. Aurel ne comprenait pas ce qu'il voulait lui dire. L'homme le tira alors par la manche et le fit passer dans une petite pièce à côté du hall. C'était une sorte de poste de garde et, dans cette construction moderne qui voulait imiter l'architecture médiévale, l'ouverture sur l'extérieur se faisait par une longue fente verticale qui s'inspirait des meurtrières. Ce dispositif laissait passer peu de lumière mais il permettait de voir sans être vu. L'homme approcha le nez de la fente et pointa un doigt pour indiquer une direction à Aurel. Quand celui-ci visa à son tour, il distingua, là où l'homme lui avait recommandé de regarder, un garçon d'une vingtaine d'années, vêtu d'un jean et d'un T-shirt noir, qui fumait, adossé à un poteau électrique.

Aurel interrogea l'homme à moustache qui, à ce qu'il comprit, devait être le gardien de la synagogue. Le peuple juif, quelle que soit la liberté dont il jouit quelque part, conserve la mémoire de trop de persécutions pour ne pas cultiver une méfiance instinctive. Aurel avait noté, la première fois, que la synagogue, bien que grande ouverte et très officiellement tolérée, était construite avec une architecture militaire qui lui permettrait, le cas échéant, de servir d'abri, voire de tenir un siège. L'homme qui l'avait alerté était exercé à repérer tous les signes anormaux aux alentours. Aurel finit par comprendre : le gardien lui signalait qu'il était suivi.

Il le remercia chaleureusement et sortit sans un regard pour le jeune garçon qui le filait. Cependant, en remontant vers le centre et en sillonnant des rues anciennes, étroites et désertes, il eut bientôt la certitude qu'en effet il avait quelqu'un à ses trousses. Qui pouvait avoir commandité une telle surveillance ? Les mots d'Amélie à propos de l'Ambassadeur lui revenaient : « Il veut qu'on lui rapporte tous vos faits et gestes. » Tout de même, organiser une filature en territoire étranger n'était pas dans les fonctions d'un diplomate, fût-il chef de poste. Il n'en avait pas le droit. En avait-il tout de même la possibilité ? Il faudrait tâcher d'en savoir plus sur l'identité de ses chaperons. La prochaine fois, il emporterait son appareil photo et tenterait de capturer discrètement leur image.

En attendant, il ne changea pas son programme de la matinée qui ne comportait rien de compromettant. Il chercha d'abord le tailleur dont Mylène lui avait donné l'adresse. La découverte qu'il fit le remplit d'un tel bonheur qu'il en oublia presque la surveillance dont il était l'objet.

Le magasin de vêtements occupait tout le rez-de-chaussée d'un immeuble des années trente. C'était un véritable paradis pour apparatchik, un rêve de membre du Soviet suprême.

Aurel avait réussi à se constituer au fil du temps une garde-robe de ce style, mais c'était en en dénichant les pièces par-ci par-là, dans des friperies ou des sites d'enchères. Tandis que cet espace tout entier était dédié à des coupes démodées, à des tissus qui semblaient sélectionnés sur le seul critère de la tristesse et de la laideur. Tout était dans les tons marronnasses et verdâtres. Il ne faudrait pas imaginer que ce mélange pouvait avoir le charme des rayons de vêtements de chasse ou d'équitation. Le camouflage dont il s'agissait était de type social. Les tenues exposées étaient réservées aux athlètes de la médiocrité, aux champions de la grisaille bureaucratique. Il s'agissait de triompher en battant tous les autres concurrents à l'épreuve de la banalité et de la modestie prolétarienne. Ce sport se pratiquait au sommet, dans les hautes sphères des États socialistes, mais aussi à ras de terre, pour se faire bien voir des flics et des petits chefs. Aurel n'avait jamais dépassé ce niveau. Il avait pourtant pris goût à cette façon de se vêtir, comme on chérit tout ce que l'on associe à sa jeunesse. Il avait toujours été incapable de s'habituer à une autre forme d'élégance.

Il saisit l'occasion pour renouveler son stock de vêtements passablement usés et acheta, à des prix restés soviétiques, trois costumes, cinq chemises, un nouveau manteau en laine qui lui descendait aux chevilles et une cravate couleur de betterave cuite.

Il fut tout heureux de découvrir que le magasin vendait aussi des chapeaux. Habitué à supporter le soleil tropical, il avait découvert le désagrément d'exposer son crâne dégarni au vent frais de la presqu'île bakinoise. Il compléta sa garde-robe avec deux faux Borsalino : un Fedora en toile bleu foncé et l'autre noir, à petit bord, en imitation cuir. Le vendeur, facétieux comme un croque-mort, lui avait offert pour le récompenser de sa prodigalité une sorte de casquette sans visière, comme en portaient jadis les premiers aviateurs. Elle était doublée de mouton et dotée d'oreilles rabattables. Aurel fut ému par cette attention. Il remercia très sincèrement son bien-faiteur.

Il entra pour payer dans un petit réduit encombré de paperasse. Le pied de la lampe de bureau était constitué par un buste de Lénine. Aurel et le vendeur communièrent un instant dans la contemplation de cette idole abattue, qui avait marqué leur jeunesse. Dans la poignée de main qui suivit passa leur nostalgie d'un temps où l'on savait faire rêver les hommes et les habiller.

En sortant, radieux, avec ses paquets, Aurel continua d'explorer ce quartier qui constituait, pour de mystérieuses raisons, un conservatoire des symboles communistes. Il découvrit ainsi une véritable boutique de kolkhoze, appelée Ivanovka. Quelque part dans la campagne de l'Azerbaïdjan, un de ces domaines agricoles d'État avait survécu à toutes les convulsions de l'Histoire. Son fondateur, M. Ivanov, lui avait donné son nom ; on voyait sa photo, en uni-forme de l'Armée rouge, encadrée dans la bou-tique. Aurel manqua défaillir en entrant. Il reconnut tout : les étagères faites pour être vides, les emballages grossiers et, dans le fond, la porte ouverte sur une cuisine où quatre employés déjeunaient, sans prêter la moindre attention à la clientèle.

La seule différence était la présence en quantité dans les rayons de produits dont on guettait jadis la brève apparition et qui parvenaient jusqu'au consommateur en si petite quantité que personne n'espérait en connaître jamais le goût.

Aurel acheta quelques laitages et du miel, presque incrédule de se voir remettre de tels trésors sans faire la queue toute une journée.

Ensuite, il flâna encore un peu dans ce quartier où les maisons anciennes d'un antique village turc avaient été rasées dans les années cinquante pour construire des barres d'immeubles. Il s'emplit d'une mélancolie qu'il doutait de faire partager au jeune homme qui continuait de le suivre, en se cachant à peine.

Puis il rentra chez lui et joua du piano jusqu'à la tombée de la nuit.

V

Il avait plu pendant la nuit et les lointains sur la Caspienne étaient d'une exceptionnelle netteté. Un vent du large soufflait vers la presqu'île de Bakou. La mer, voilée d'ordinaire par une vapeur de sable, se colorait d'un bleu d'encre sombre, griffé de crêtes blanches.

Amélie conduisait son 4 × 4 toutes fenêtres ouvertes. Aurel, blotti sur le siège avant, avait relevé le col de son manteau et enfoncé sur sa tête la casquette de tankiste. Les deux oreilles, frisées de fourrure, s'écartaient dans le courant d'air, comme les ailes d'un avion sur le point de décoller.

Dans les quartiers sud apparurent, au-dessus de palissades en tôle, les têtes basculantes d'innombrables derricks. Ils penchaient leur long bec inlassablement, comme de vieux oiseaux rouillés occupés à picorer dans le sable.

Ces puits, situés en pleine ville, rabattaient parfois vers elle des odeurs de naphte. Passé l'immense dôme de la piscine olympique, le désert commençait.

Rien ne pouvait surprendre davantage que cette soudaine irruption des sables et des rochers dénudés à moins d'un kilomètre des immeubles néoclassiques et des jardins ombragés du Petit-Paris.

— Ça fait tellement de bien de quitter cette ville !

Amélie, le nez à la portière, respirait tout avec le même bonheur : les relents de pétrole comme l'odeur sèche et pulvérulente du désert.

— Vous avez eu raison de venir me retrouver devant la tour de la Vierge. Vous êtes certain que vous avez semé ceux qui vous surveillent ?

— Absolument certain, grogna Aurel.

Puis il ajouta, en serrant le tweed de son manteau autour de son cou :

— Vous ne voudriez pas fermer votre vitre ?

Amélie s'exécuta à regret. Dès qu'il ne sentit plus le vent, Aurel se détendit, retira sa casquette et ouvrit son col.

— Il y a combien de temps, Amélie, déjà, que vous êtes en poste ici ?

— Presque deux ans.

— Vous avez de la chance.

— Si l'on veut. Je n'aime que les pays chauds, le désert. Malheureusement, je passe le plus clair de mon temps à tourner en rond dans cette ville qui essaie de se faire passer pour une capitale européenne.

Il est inutile de discuter des goûts et des couleurs. Aurel n'insista pas.

— Vous étiez ici avant l'Ambassadeur actuel ?

— Il est arrivé quelques semaines après moi.

— Avec sa femme ?

— Non. Elle l'a rejoint avec les enfants deux mois plus tard, pour la rentrée scolaire.

— Et vous êtes tout de suite devenues copines ?

Amélie tourna la tête vers Aurel. Ses lunettes de soleil cachèrent son regard furieux.

— Je n'ai jamais été « copine » avec Mme l'Ambassadrice.

Ce titre, dans la bouche d'Amélie, ne prenait pas la valeur d'une flagornerie. C'était un hommage, une marque de déférence.

— Je veux dire, comment avez-vous noué des relations personnelles avec elle ?

— Par hasard. Elle a eu un problème d'état civil à résoudre pour l'inscription d'un de ses fils au collège. Une histoire d'extrait de naissance qu'il fallait demander à Nantes. Elle se montrait très réservée avec le personnel de l'ambassade.

On peut la comprendre. Avec la résidence située au-dessus des bureaux, il faut maintenir une distance.

Amélie se concentra pour doubler un camion qui fumait noir. Ils roulaient maintenant sur la grande autoroute qui longe le littoral.

— Et puis, ajouta-t-elle, c'était sa nature.

— Orgueilleuse ?

— Pas du tout. Je dirais plutôt timide. Si soucieuse de ne pas se montrer supérieure qu'elle en devenait froide. Mais avec moi, elle était douce et affectueuse.

— À quoi ressemblait-elle ?

— Vous avez vu des photos…

— Je veux dire grande, petite, maigre, forte, ce genre de choses…

— Des questions de mec…

Cette virée dans le désert avait mis Amélie d'humeur joyeuse. Elle regarda Aurel avec des yeux qui riaient. Il se renfrogna.

— Elle était de taille plutôt moyenne, très sportive. Elle avait un corps musclé qu'elle entretenait grâce au tennis, à la danse classique et au jogging. On en avait parlé un jour : elle faisait confiance au naturel. Jamais elle n'aurait eu recours à la chirurgie esthétique et elle comptait assumer son âge sans faux-semblants. C'était quelqu'un qui faisait face. À tout.

— Elle vous parlait de sa relation avec son mari ?

— Décidément, ça vous intéresse.

— J'essaie de comprendre.

— Ce n'était pas le genre à se plaindre ni à formuler des critiques, si vous tenez à le savoir. Quand elle évoquait son couple, c'était toujours pour raconter de beaux moments. Mais, c'est vrai, elle les tirait plus du passé que du présent...

Des raffineries apparaissaient parfois d'un côté ou de l'autre de la route, exposant dans leurs flancs ouverts d'inextricables boyaux d'acier. Posées à leur sommet, des torchères brillaient comme des pépites d'or jaune au soleil de midi.

— Elle vous avait parlé de son mariage ?

— Une fois, et on s'était bien amusées, dit Amélie en riant pour elle-même à ce souvenir.

— Qu'est-ce qu'il y avait de drôle ? demanda Aurel sans sourire.

Il n'appréciait pas trop la manière qu'avait sa petite cousine de se moquer et il craignait de faire les frais une fois de plus de ses taquineries. Mais plus il prenait l'air indigné et plus il ressemblait, tassé dans son manteau vert, à un vieux lapin vexé, réfugié dans son terrier moussu.

— Elle m'avait raconté comment le jeune Gilles s'était mis à lui faire gauchement la cour.

111

Ils avaient dix-sept ans et il était le fils du régisseur de son père. Ils se voyaient pendant les vacances, quand elle résidait au domaine. Ensuite, elle rentrait à Paris et il l'attendait.

— Qu'est-ce qui est amusant là-dedans ?

Aurel se souvenait comment il s'était mis en quatre, lui, le réfugié roumain, pour séduire une fille d'ambassadeur.

— Ce qui était drôle, c'était sa manière de raconter cela. Il y avait toujours le côté grande dame. Elle ne faisait pas plus d'efforts pour corriger son accent aristocratique que pour atténuer ses rides.

Aurel s'efforçait de sourire mais cette expression ne lui allait pas. Elle faisait apparaître ses petites dents mal plantées et plissait son gros nez. Il avait l'air de quelqu'un qui a repéré une mauvaise odeur dans la pièce et qui cherche d'où elle provient.

— Au bout de deux ans, les parents sont intervenus pour mettre fin à une relation qui ne leur plaisait guère. Ils ont envoyé leur fille en Amérique, à Boston, pour suivre des études d'histoire de l'art. Là-bas, elle a été très courtisée par les autres étudiants. Mais c'est d'un de ses professeurs qu'elle est tombée amoureuse.

Ils étaient arrivés à l'entrée du site des pétroglyphes. C'était, au milieu du désert, un chaos de rochers coupés net comme des morceaux de sucre. Cela ressemblait vaguement aux rochers de Fontainebleau mais sans végétation. Ils laissèrent la voiture à l'entrée, prirent des tickets et remontèrent à pied le sentier aménagé entre les blocs.

— Donc, vous disiez, elle était amoureuse d'un de ses professeurs...

— Oui, elle a eu une aventure avec lui mais il était marié et leur relation était sans avenir. Elle a fini par rompre et elle est rentrée en France désespérée. Gilles en a profité pour la demander en mariage.

— Au fond, elle l'a épousé par désespoir.

— Elle ne disait pas ça. Je ne crois pas qu'elle lui en voulait. Pas de ça, en tout cas. Lui, en revanche, il lui reprochait souvent de l'avoir méprisé, d'en avoir aimé un autre avant lui...

— Il était jaloux ?

— Plutôt du genre blessé, complexé.

Ils étaient entrés dans une sorte de conque formée par deux blocs à tranche lisse. Ils se rejoignaient pour constituer une voûte naturelle. Sur les parois, des hommes primitifs avaient gravé dans la pierre des silhouettes d'animaux et des scènes de chasse. C'était une évocation effrayante pour Aurel : celle d'un temps où, avec ses jambes malingres et ses petits bras, il aurait été lâché, une massue à la main, face à des Néandertaliens au front bas et aux muscles énormes. Il imaginait l'Évolution comme un gigantesque service des ressources humaines, à l'échelle des millénaires, peuplé de Prache velus. Et il se demandait par quel miracle ses gènes avaient pu survivre à tant d'affectations calamiteuses, au milieu des aurochs et des mammouths. Amélie, elle, s'extasiait naïvement en cherchant à reconnaître ici une chèvre, là un cheval, à peine visibles à la surface de la roche.

Aurel comprit qu'il ne devait pas s'opposer au plaisir simple de sa petite cousine. Il fit de son mieux pour avoir l'air intéressé. De bloc en bloc, ils finirent par atteindre la fin du parcours balisé. Il était interdit de monter plus haut, quoique ce fût bien tentant pour Amélie. Des panneaux mettaient en garde contre la présence de serpents très venimeux.

Ils s'assirent sur un banc, en bordure d'une grande terrasse aménagée d'où l'on pouvait admirer, au loin, la côte rectiligne. La Caspienne prenait l'aspect d'une bande émeraude. Elle se prolongeait, sans limite d'horizon, avec le ciel mauve de brume où flottaient des voiles.

— Vous avez lu le voyage d'Alexandre Dumas dans le Caucase ?

— Non, fit Aurel encore essoufflé par l'ascension jusqu'à ce belvédère.

— Il est passé le long de cette côte. Ses guides l'ont emmené une nuit sur la Caspienne et ils ont jeté une torche. L'eau s'est enflammée tout autour du bateau. La mer flambait. À l'époque, le gaz et le pétrole affleuraient partout ici.

— Charmant, conclut Aurel, peu désireux de perdre plus de temps avec des évocations littéraires.

Il laissa encore quelques instants à Amélie pour admirer le paysage et rêver à la mer en flammes, puis il se tourna à demi vers elle.

— Parlez-moi franchement : n'avez-vous jamais pensé que la mort de Marie-Virginie de Carteyron pouvait ne pas être accidentelle ?

Amélie eut le réflexe de se retourner pour vérifier qu'ils étaient bien seuls. Elle réfléchit un long moment, redressa la tête et braqua sur Aurel ses grands yeux clairs.

— Oui. Il m'est arrivé de le penser.

— Et qu'est-ce qui vous a fait mettre en doute la version officielle ?

— C'est difficile à définir. Tout a été trop brutal, trop flou. Cette nouvelle transmise dans l'après-midi par les services de la présidence... Vous savez que c'est moi qui ai reçu l'appel ? J'étais l'agent de garde ce week-end-là.

— Que vous a-t-on dit ?

— C'était à la fois très catégorique et très imprécis.

— Mais encore ?

— Eh bien, une déclaration du genre : « Mme de Carteyron, épouse de l'Ambassadeur de France, a fait une chute en visitant la citadelle d'Ordubad. Le corps sera rapatrié à Bakou par un avion militaire la nuit prochaine. »

— Ordubad ?

— C'est une ville azérie du Nakhichevan. Elle est assez difficile d'accès, plus encore que le reste du territoire, car elle est située le long de la frontière iranienne.

— Qu'avez-vous fait à ce moment-là ?

— J'ai prévenu l'Ambassadeur, évidemment.

— Comment a-t-il régi ?

— Il a crié au téléphone. Il disait que c'était impossible. Il demandait des détails que je ne pouvais pas lui fournir. Je le sentais comme fou.

— Une réaction assez normale, en somme ?

— Presque trop. Ne me demandez pas pourquoi j'ai eu cette idée. Peut-être qu'il y avait plus de colère que de peine dans ses propos. En tout cas, j'ai pensé... mais je n'ai aucune preuve de cela...

— Vous avez pensé...

— Qu'il était déjà au courant.

Un nuage effilé avait poussé une pointe jusqu'au soleil et projetait sur eux une ombre froide.

— Vous l'avez joint sur son portable ?

— Celui de service.

— Il en a un autre ?

— Un privé, oui. Mais personne n'a le numéro.

— Où vous a-t-il dit qu'il se trouvait ?

— Il ne me l'a pas dit.

— Mais vous saviez qu'il n'accompagnait pas sa femme ?

— Je ne le savais pas, mais je l'ai vérifié avec le chauffeur et auprès de la compagnie aérienne.

Aurel, qui depuis le début de cette conversation tripotait un silex qu'il avait ramassé par terre, le lâcha et se tourna d'un bloc vers la console.

— Vous avez éprouvé le besoin de vérifier. Vous avez donc tout de suite eu un doute ?

— Oui, avoua-t-elle avec gravité.

Leurs regards s'accrochèrent un long instant, comme si, à la minute présente, ils venaient de conclure une sorte de pacte. Aurel saisit la main d'Amélie et la pressa. Il avait les larmes aux yeux et s'en voulait de ne pas savoir maîtriser ce genre d'émotions. Il détourna la tête.

— Et où était-il, d'après vos recherches ?

— À Ganja, dans le nord. Deux personnes me l'ont confirmé.

— Il est impossible qu'il se soit rendu au Nakhichevan la veille ?

— Absolument impossible. D'ailleurs, on ne peut y aller qu'en avion, et j'ai vérifié les listes de passagers. Je connais bien le directeur de la compagnie nationale.

Aurel ne pouvait cacher une certaine déception à voir ainsi disparaître la possibilité que l'ambassadeur eût joué un rôle direct dans la mort de sa femme. Ses soupçons étaient nés du désir de se venger de lui. Inconsciemment, il avait espéré qu'il fût coupable. Il aurait ainsi fait doublement justice : à Marie-Virginie et à lui-même.

Restait que malgré cette déception, il avait la satisfaction de voir son intuition confirmée.

— Vous avez tout de même eu un doute sur l'éventualité d'une mort accidentelle ?

— Oui.

— Alors, pourquoi ?

Amélie se leva à cet instant et Aurel l'imita. Elle avança jusqu'au bord de la terrasse, fixa les lointains. Le soleil était plus bas sur l'horizon et la symphonie du crépuscule se préparait sur la Caspienne. Un bleu de Prusse trépidant faisait une ligne de basse au loin sur la mer et quelques pointes de nuages égrenaient leurs doubles croches à l'horizon.

— Marie-Virginie de Carteyron était une femme très forte et très courageuse. Pourtant…

— Pourtant ?

— Elle avait peur.

Aurel suivait maintenant Amélie qui s'était engagée dans le sentier qui redescendait. Ils étaient l'un derrière l'autre et il trottait pour la suivre, en prenant garde à ne pas se tordre les pieds.

— Peur de quoi ? Peur de qui ?

Aurel ne voyait pas le visage d'Amélie. Aussi fut-il surpris quand elle s'arrêta brusquement et se tourna vers lui. Elle avait les yeux pleins de larmes.

— Je ne sais pas, éclata-t-elle presque agressivement. Je ne le lui ai pas demandé et aujourd'hui, croyez-moi, je m'en veux.

Le sentier s'élargissait à cet endroit, avant de rejoindre le parking. Ils marchèrent de nouveau côte à côte.

— Depuis quelques semaines, elle avait changé. Elle était d'humeur sombre, ne plaisantait plus. Elle s'était remise à fumer après avoir arrêté pendant huit ans. Elle ne supportait plus d'être seule le soir. Ses enfants étaient en pension en France. Quand son mari était en déplacement, ce qui arrivait très souvent, elle m'appelait pour qu'on sorte. Et moi, je faisais de mon mieux pour la distraire, l'amuser. Jamais je n'ai cherché à savoir ce qui la perturbait.

— Vous dites qu'elle avait peur. Selon vous, elle avait peur de quelqu'un ou pour quelqu'un ?

— C'est cela ! s'écria Amélie. C'est exactement cela que je ne sais pas et que j'aurais dû avoir le courage de lui demander…

Ils remontèrent en voiture et reprirent la route vers la côte. Sur le sol, l'ombre des pierres s'allongeait et le sable alentour se moirait de tons fauves.

Le chemin du retour fut occupé par de longs silences. L'un et l'autre réfléchissaient à ce qu'ils venaient de partager. À mesure qu'ils approchaient de Bakou où ils allaient se séparer, Aurel éprouvait le besoin de définir les rôles dans l'enquête que, désormais, ils mèneraient ensemble.

— Si quelqu'un peut en savoir plus sur ce qui s'est exactement passé à Ordubad, c'est vous, Amélie.

— Je vais essayer.

— Vous pensez pouvoir y aller ?

— Je ferai mon possible. Mais les sénateurs arrivent demain ; je vais devoir rester à Bakou tant qu'ils seront là. Et vous, que comptez-vous faire ?

Aurel était très heureux d'avoir trouvé en Amélie un renfort et un complice. Cependant, quand elle lui posa directement la question de son programme, il se rendit compte brutalement de la singularité de la situation. Il avait conduit jusque-là ses enquêtes contre ses supérieurs, ou au moins en les tenant à distance. Il se retrouvait cette fois à faire équipe avec la Consule dont il dépendait. C'était inouï, presque inconcevable pour lui. Il en éprouva une certaine alarme. Il savait que ses méthodes, ses raisonnements étaient très particuliers et qu'il était difficile, voire impossible, pour quelqu'un d'autre de le suivre quand le vin blanc et le manque de sommeil le conduisaient dans des régions ténébreuses de l'esprit. Malgré le plaisir qu'il ressentait à faire équipe avec Amélie, sa réaction fut de reprendre ses vieilles habitudes et de ne pas trop en dire sur ses intentions.

— Je vais voir. La première chose, c'est d'essayer de comprendre qui est cet ambassadeur.

Sur ce constat assez vague, Amélie déposa Aurel près de la piscine olympique et il décida de rentrer en marchant. Pour la première fois, il nota que les passants le regardaient de manière bizarre. C'est seulement en approchant du centre qu'il comprit. Sans y penser, il portait son long manteau de laine kaki et avait remis sur sa tête le casque de tankiste. Si les Azéris n'avaient pas oublié le temps des apparatchiks, ils étaient quand même étonnés de voir circuler dans les rues un vétéran de l'Armée rouge en uniforme.

*

Sitôt chez lui, Aurel se précipita sur une bouteille de vin blanc. Il s'était efforcé de ne rien laisser paraître mais, maintenant qu'il y pensait, il se rendait compte qu'il avait eu soif toute la journée.

Il retira son costume et revêtit une des vieilles chemises à col pointu qu'il venait de remplacer au magasin du Parti.

Il traversa l'appartement pour aller chercher l'appareil photo, le relia à son ordinateur et chargea sur son disque dur les photos prises dans la salle d'attente de l'Ambassadeur. Ensuite, il les visionna en petit format et les classa selon ce qui lui semblait être leur ordre chronologique.

Puis il s'installa devant le piano électronique qu'il avait posé sur la table de la salle à manger et plaça l'ordinateur ouvert devant lui. Il régla le clavier musical sur le son le plus proche de son propre piano, sans parvenir à en reproduire les accents charmants.

Le vin blanc commençait à faire son effet. Il se détendait ; ses paupières devenaient un peu lourdes. Il n'avait jamais autant de lucidité que dans ces instants un peu crépusculaires. Plus question de bricoler : il devait porter la plus grande attention à cette préparation, comme un athlète avant l'exploit. Il joua quelques morceaux de Mozart et de Chopin, pour se mettre en train. Puis il improvisa, et des airs tziganes de Transylvanie lui revinrent, peut-être parce qu'il avait pensé à Layla. Lorsque enfin il se jugea suffisamment en condition pour monter dans le grand vaisseau de la rêverie et larguer les amarres, il déclencha un diaporama à partir des photos récemment chargées.

Sur l'écran devant lui, il vit lentement défiler la vie du couple Carteyron.

Aurel n'aurait pas été capable de commenter chacune de ces photos ni même de les dater avec précision. Il tirerait ces vues sur papier le lendemain et pourrait les examiner avec lucidité. Dans l'état de demi-conscience que produisaient la fatigue et l'alcool, il pouvait en revanche percevoir, avec une extraordinaire minutie de détails, la progressive métamorphose des visages et des attitudes. Ses perceptions se traduisaient dans les mélodies qu'il exécutait sur le clavier.

C'est ainsi qu'il repéra sur les traits de Gilles de Carteyron le jour de son mariage une expression craintive et presque hallucinée, comme si aboutir à ce sacrement eût été la dernière étape d'un voyage de cauchemar. Par la suite, quand le jeune couple était saisi par un photographe au sortir de soirées ou à l'occasion d'événements officiels, le futur ambassadeur s'était peu à peu détendu. Il prenait une allure non plus d'enfant modeste mais de jeune homme bien élevé. L'aisance qu'il acquérait était de plus en plus manifeste. Sa façon de se vêtir, de se tenir, de se coiffer, de sourire devenait peu à peu conforme aux codes du milieu auquel il avait accédé. Les gestes gauches, les attitudes empruntées disparaissaient au profit d'une élégance discrète et de manières policées. En bref, il apprenait doucement la vie.

Il savait désormais s'adapter aux circonstances. Qu'il fût en vacances sur les plages du Touquet, penché sur le berceau à frous-frous de son dernier-né ou parmi les autres conseillers de l'ambassade de France au Caire, il était toujours dans le ton : un homme jeune, sportif, élégant, discret.

Ensuite, de façon assez brutale cette fois, il changea de nouveau. Il ne s'agissait plus de pallier les lacunes de son éducation. Ce qui apparaissait, c'était une vulgarité nouvelle, liée à des défauts acquis sciemment et cultivés sans vergogne. Il y avait d'abord une transformation physique. Son corps mince, presque fluet, comblait d'abord son retard puis épaississait. Son teint devenait plus rouge, ses traits s'alourdissaient et lui donnaient des airs de noctambule épuisé. Ses tenues changeaient elles aussi. On sentait que ses vêtements étaient maintenant signés de grandes marques et plus chers. Cependant, ils étaient portés de façon volontairement négligée, comme si, non content de faire étalage de ces accessoires de luxe, il tenait de surcroît à montrer qu'il les méprisait. Carteyron se sentait suffisamment puissant pour manifester qu'il avait cessé d'apprendre, c'est-à-dire de se contraindre, de se soumettre, et qu'il avait commencé à imposer, à décider, à choquer, c'est-à-dire à faire étalage de sa force.

Aurel laissa redémarrer le diaporama qui se déclenchait en boucle. Au cours de ce nouveau passage, il chercha à définir quand avait commencé à s'opérer ce changement de personnalité. Ce qui le frappa, c'est la netteté de cette transition. Elle ne correspondait pas, comme c'est le cas chez beaucoup d'hommes ayant accédé à de hautes responsabilités, à une lente évolution, plus ou moins imperceptible. Elle s'était effectuée en quelques mois et dans des circonstances claires.

C'était pendant son séjour au Brésil que la physionomie, comme probablement le caractère de Carteyron, avaient changé. Plus précisément, le décor de certaines photos était assez caractéristique pour affirmer que c'était au cours du second des deux séjours dans ce pays que le futur ambassadeur avait subi une transformation radicale. Il occupait alors les fonctions de consul général de France à Rio de Janeiro.

Comment savoir ce qui s'était passé à ce moment-là ?

Depuis qu'il avait, par défi, entrepris cette enquête, Aurel savait qu'il buterait sur un obstacle de cette nature. Il se doutait qu'un drame survenu dans un milieu diplomatique le conduirait nécessairement à devoir suivre des pistes à l'étranger. Si cela devait le mener en France, en Roumanie ou dans des postes où il avait été affecté, en Afrique notamment, il pouvait espérer trouver des connaissances, des relais, de vieux contacts. Mais le Brésil ! C'était un pays dont il ne pouvait même pas rêver. Prache pouvait bien ignorer où était l'Azerbaïdjan, il n'était pas assez stupide pour l'envoyer dans des postes confortables comme ceux d'Amérique latine.

Il en parlerait le lendemain à Amélie. Cependant, il y avait bien peu de chance, compte tenu de sa courte carrière, qu'elle connût quelqu'un là-bas.

Aurel, faute d'avoir l'énergie de se mettre en colère, s'assoupit. Il n'aurait pas pu dire combien de temps il avait dormi. Mais il s'éveilla en sursaut et se redressa. Le diaporama tournait toujours sur l'écran de l'ordinateur ; ce n'étaient pourtant pas ces images qu'il avait suivies dans son rêve. Il était revenu dans le chaos de pierres de Qobustan. Les pétroglyphes, qui sur le moment ne l'avaient guère passionné, étaient revenus défiler dans son esprit. Il avait vu des bœufs et des chèvres, des chasseurs et des serpents. Mais toutes ces figures, dans le bric-à-brac du rêve, se confondaient pour ne dessiner qu'un seul type d'animal : des insectes géants. Et c'était cela qui l'avait conduit sur la voie.

Il se leva, tenant l'ordinateur à deux mains comme un garçon de café tient son plateau. Et d'une voix pâteuse mais avec une parfaite lucidité intérieure, il articula ces deux mots :

— Petit Oncle !

VI

L'homme qu'Aurel appelait « Petit Oncle »
mesurait près de deux mètres. Une barbe noire
lui montait jusqu'aux yeux comme un passe-
montagne. Sous un cou de bison, il présentait
une musculature si développée qu'il marchait un
peu voûté, ployant sous le poids de sa propre
chair.

Si cet oncle était « petit », c'était seulement
parce qu'il était beaucoup plus jeune qu'Aurel.
Son grand-père paternel, un employé des chemins de fer de la région de Brasov, s'étant
retrouvé veuf à près de soixante ans, s'était rema-
rié avec la robuste paysanne qui était à son service. Après avoir longtemps battu son linge au
lavoir, c'est à son petit fonctionnaire de mari
qu'elle entreprit de redonner des couleurs et une
vigueur nouvelle. Le pauvre ne survécut que
deux ans à ce rude traitement mais il eut le

temps, dans cet intervalle, de faire un enfant à son ultime épouse. Mihna naquit sept ans après son neveu Aurel et devint à jamais son « petit oncle ».

Tous ceux qui seraient tentés de contester la théorie darwinienne seraient bien inspirés de considérer le destin de cet enfant. Au terme de millénaires de sélection naturelle pendant lesquels il avait fallu survivre au climat rude de Transylvanie, à des disettes et à des guerres cruelles dont la moindre n'était pas celle que les riches ont de tout temps menée aux pauvres, Mihna Timescu avait hérité de sa mère des qualités physiques qui le rendaient apte à résister à tout. Cette mère éléphantesque et tardive lui avait aussi donné beaucoup d'amour. Restée veuve peu après la naissance de son enfant, il lui avait fallu l'aimer pour deux. Mihna s'était ainsi formé un caractère d'une grande douceur et avait appris à maîtriser sa force, notamment quand il rendait visite à son neveu, plus âgé que lui mais d'une constitution beaucoup plus frêle.

Quand la famille d'Aurel partit s'installer à Bucarest, son petit oncle et sa mère continuèrent de vivre à la campagne, aux abords de la ville d'Arad, près de la frontière hongroise. Ils habitaient une maison en bois dans la forêt. C'était le monde familier de Mihna. Il devint naturellement bûcheron, maniant la cognée et la scie de long avec plus de vigueur et d'adresse que quiconque. Mais son véritable amour pour la nature concernait plutôt la vie des animaux, et surtout des plus infimes d'entre eux : il passait des heures à observer les insectes, leurs mœurs, leurs variétés. Il partageait cette passion avec un ami d'origine hongroise qui travaillait comme pâtissier à Arad. Au moment où la révolution anti-Ceausescu se déclencha, la mère de Mihna venait de mourir. Il se sentait seul et très malheureux. Quand son ami lui proposa de partir à l'Ouest, à la faveur de l'anarchie qui s'était emparée de la Roumanie, il accepta. De pays en pays, il gagna sa vie aisément, en exécutant tous les travaux de force imaginables. Son camarade ayant choisi de se fixer en Autriche, Mihna continua. On aurait pu croire qu'il suivait les routes humaines. En réalité, il se guidait via les insectes, observait leurs colonies, traversait les invisibles frontières qui séparaient leurs espèces et qui avaient pour lui plus de réalité que les limites artificielles tracées entre les États. Il arriva ainsi jusqu'en Angleterre. Puis l'idée le saisit d'aller voir à quoi ressemblaient les êtres minuscules qui peuplaient la terre d'outre-Atlantique. Il traversa l'océan sur un cargo, débarqua à Halifax et, les yeux rivés au sol, n'alla pas plus loin que le Nouveau-Brunswick. Il s'établit à Moncton, chez les Acadiens. Occupé aux travaux agricoles l'été, il employa les longs hivers comme coach dans une salle de musculation. Les jeunes cadres qui venaient y soulever des poids étaient encouragés par sa carrure. Ils y voyaient une promesse, sans savoir que leurs efforts ne pourraient jamais leur permettre de lui ressembler. Mihna n'avait eu besoin, pour devenir ce qu'il était, d'aucune machine ni d'aucun exercice. Il avait suffi de quelques siècles de misère, mais cela, bien entendu, ne pouvait se vendre sur abonnement...

Avec son salaire et force cours particuliers, il parvint rapidement à acquérir sa propre salle. Depuis plus de dix ans il vivait une vie tranquille de petit patron, efficacement secondé par des adjoints de confiance. Il avait épousé une Canadienne mais leur union avait pris fin au bout de deux ans. Leur enfant, un garçon nommé Nicolaï, était resté avec sa mère. Mihna disposait de tout son temps pour s'adonner à sa seule passion : l'étude des insectes. Au cours de ses voyages, il avait découvert que ce savoir avait un nom, l'entomologie, et que des traités entiers lui étaient consacrés. Il avait acquis peu à peu une connaissance théorique aussi étendue que son savoir empirique. Il s'était spécialisé, compte tenu de l'immensité de ce champ scientifique, dans l'étude d'une famille particulière pour laquelle il avait toujours nourri une inexplicable tendresse. Il s'agissait des carabes, que l'on confond souvent à tort avec les scarabées.

Une année, Aurel était allé lui rendre visite à Moncton, pour passer avec lui les fêtes de Noël. Il avait été fasciné par les boîtes en verre dans lesquelles étaient épinglés des bataillons de coléoptères de toutes tailles, avec leurs carapaces aux belles couleurs métalliques. Mihna disposait de loupes binoculaires et de tout un matériel de précision qu'il maniait avec la douceur inattendue de ses gros doigts.

Il avait expliqué à Aurel que les grands muséums d'histoire naturelle sont aujourd'hui si démunis qu'ils sous-traitent l'étude des nouvelles espèces à des amateurs passionnés. Lui, l'ancien bûcheron, avait ainsi la fierté de rédiger le descriptif rigoureux des spécimens que lui adressaient les muséums du monde entier et avait pu baptiser un carabe inconnu du nom de sa défunte mère.

Mihna avait été encore plus fier en apprenant que de grands écrivains comme Balzac, Ernst Jünger ou Vladimir Nabokov avaient partagé cette passion naturaliste.

Les spécialistes des coléoptères se retrouvent tout au long de l'année dans de prestigieux colloques organisés par des sociétés savantes aux quatre coins de la planète. Ils échangent leurs connaissances et leurs découvertes sur des sites Internet et dans des revues qu'ils sont les seuls à lire. Mais, à côté de cette passion qui fait d'eux des sommités dans un certain milieu, ces entomologistes amateurs exercent à titre alimentaire des métiers aussi variés qu'inattendus. Ainsi, le spécialiste mondial des *Lucanidae* tient une pizzeria à Saragosse ; le pape des *Cerambycidae*, ou longicornes, occupe un modeste emploi de jardinier à la municipalité de São Paulo ; le référent planétaire en matière de *Dynastinae* est infirmier psychiatrique à Smolensk...

Dans ce réseau international parfaitement inconnu du grand public et que la police n'aurait pas l'idée de surveiller tant il paraît inoffensif, Mihna Timescu était comme un poisson dans l'eau, capable de demander un service à n'importe lequel de ses correspondants, en n'importe quel point du monde, à tout instant.

Voilà pourquoi Aurel s'était réveillé en sursaut et levé de son canapé en criant : « Petit Oncle ! »

Il l'appela par Skype immédiatement, sans se préoccuper du décalage horaire. Quand Mihna apparut sur l'écran, le visage bouffi et les cheveux en bataille, Aurel se rendit compte qu'il l'avait tiré de son lit. Mais Petit Oncle était si doux et avait tant d'admiration pour son neveu diplomate qu'il était incapable de se formaliser.

— J'ai besoin de toi, Mihna, commença Aurel, qui, lorsqu'il était dans cet état, ne se préoccupait guère de ménager des transitions.

— Oui, neveu…

Le rappel de ce lien de parenté augmentait toujours la culpabilité que ressentait Mihna à l'égard d'Aurel. Elle lui rappelait que, malgré la différence d'âge entre eux, c'était le devoir de l'oncle de protéger le neveu. Il en résultait une immense tendresse de l'ancien bûcheron pour son parent souffreteux. Il attendait le jour où il pourrait mettre toute sa force en jeu pour le défendre ou le venger. Il fut étonné et un peu déçu de constater que c'était seulement à ses qualités d'entomologiste qu'Aurel faisait appel.

— Ton réseau de contacts, Petit Oncle… tes amis qui s'occupent de petites bêtes…

La plaisanterie faisait toujours sourire Mihna. En même temps, elle le rendait un peu triste car c'était ainsi que sa mère, jadis, désignait sa collection de scarabées.

— Eh bien, en quoi peuvent-ils t'être utiles, Aurel ?

— Tu connais quelqu'un au Brésil ?

Il était quatre heures du matin pour lui et le cerveau de Mihna était encore embrumé mais il n'eut pas besoin de réfléchir.

— Au Brésil... Bien sûr ! C'est l'eldorado des entomologistes. Tu cherches un contact dans une ville en particulier ?

— Rio de Janeiro.

— J'ai au moins trois correspondants là-bas, dont deux sont des amis proches. Il y en a un qui tient un salon de massage avec sa femme à Botafogo et l'autre qui est patron d'une *churrascaria* du côté d'Ipanema. Ils ont la même spécialité : les Capricornes. On n'appelle pas cela comme ça, nous. Le nom savant est...

— Peu importe ! Les Capricornes, ça me va bien...

— Comme tu voudras.

— J'aurais besoin de renseignements sur quelqu'un. Un Français.

— Ça tombe bien, celui qui a le restaurant est marié à une Française.

— Il faudra qu'il soit discret. L'affaire concerne les milieux diplomatiques.

— Tu sais, rétorqua Mihna un peu vexé, ce n'est pas la première fois que nous échangeons des informations confidentielles. En entomologie, quand on croit avoir découvert une nouvelle espèce...

— Il ne s'agit pas d'un coléoptère, coupa Aurel. Mais d'un ancien consul général de France à Rio.

— Aucun souci, que veux-tu savoir ?

— Tout. Ce qu'il faisait quand il était là-bas, de 2012 à 2014, qui il fréquentait, comment il était vu par les Brésiliens. Et surtout, dans quelles circonstances il a quitté son poste.

Mihna nourrissait pour Aurel une admiration qui venait de loin. Dans la famille, ce neveu plus âgé avait la réputation d'être un génie. Son don pour la musique, sa culture, ses études de droit commencées à Bucarest l'avaient environné d'un parfum de sérieux et de talent. Mihna ignorait ce qu'il était advenu d'Aurel après son passage à l'Ouest. Quand ils avaient repris contact, il avait découvert que son vieux neveu était dans la diplomatie. Il ne doutait pas qu'il y eût suivi une brillante carrière. Aussi, ses demandes, pour bizarres qu'elles parussent, ne pouvaient être que la part émergée d'un gigantesque iceberg dans les profondeurs duquel se jouait certainement une partie décisive pour l'avenir du monde.

— C'est entendu, acquiesça Mihna malgré sa perplexité. Je vais demander une fiche sur cet homme aussi précise que celles que nous rédigeons sur nos insectes… Il faudra me donner son nom.

— De Carteyron, Gilles. Mais je vais t'envoyer quelques éléments par messagerie cryptée.

— C'est une affaire urgente ?

— Très, Petit Oncle. Très urgente. Et très importante pour moi.

— Je vais faire tout ce que je peux, crois-moi.

— Merci.

Aurel avait à peine raccroché qu'il retomba sur son canapé et s'endormit.

Mihna, au contraire, était parfaitement éveillé. Il descendit dans sa salle de sport, rangea les poids, nettoya les machines. La conversation avec son neveu lui rappelait toujours la Roumanie et lui donnait du vague à l'âme. Il chargea une barre de cinquante kilos et commença à s'échauffer au développé-couché. Après avoir soulevé cent vingt kilos, il se sentit beaucoup mieux.

*

Le matin, quand il se rendit à l'ambassade, Aurel nota avec un peu d'inquiétude que le temps commençait à changer. Des nuages moins aimables que d'ordinaire roulaient sur la presqu'île et le vent devenait froid. Il fit un détour par les bords de la Caspienne et reconnut à peine la mer. Elle était soulevée au loin par de mauvaises houles. Il comprenait pour la première fois pourquoi elle avait la réputation d'être dangereuse et souvent impraticable.

Les touristes se faisaient plus rares. Il croisa un groupe d'Allemands qui se dirigeaient vers la vieille ville derrière le parapluie déchiré d'un guide. Penchés en avant contre la bourrasque, les malheureux avaient l'air de monter au front, sous la menace d'un officier sabre au clair.

Il fut d'autant plus facile à Aurel de repérer le vieil homme en imperméable noir qui l'avait pris en filature depuis la sortie de son immeuble. Cette découverte ne lui fit plus aucun effet. Elle n'entama surtout pas la bonne humeur que provoquait en lui un événement minuscule : c'était la première fois qu'il portait son Trilby en imitation cuir, et ce petit chapeau faisait merveille pour le protéger de la pluie. Aurel arriva à l'ambassade les épaules trempées mais le crâne délicieusement au sec.

À peine entré, il vit le gendarme se précipiter vers lui.

— Amélie vous attend dans son bureau. Dépêchez-vous d'y passer. Elle doit partir à l'aéroport avec l'Ambassadeur pour chercher la délégation.

— La délégation ?

— Les sénateurs.

Aurel les avait oubliés… Il monta rapidement l'escalier de service où il croisa Layla qui descendait. Elle voulut lui dire un mot mais, timide comme elle était, cela promettait de durer.

— Passez dans mon bureau tout à l'heure, Layla. Il faut que je fonce chez Mme la Consule.

Il entra un instant dans son réduit pour y suspendre son manteau, caressa avec la manche la surface déjà presque sèche du couvre-chef en cuir et le déposa amoureusement sur le cache-radiateur.

Amélie le guettait par l'entrebâillement de sa porte.

— Entrez vite et fermez derrière vous.

Elle avait complètement changé de physionomie. Maintenant qu'elle se sentait investie dans son enquête, elle prenait avec Aurel des airs de conspiratrice. Elle parlait à voix basse et ses yeux roulaient en tous sens, comme si elle surveillait les quatre coins de la pièce.

— J'ai plusieurs nouvelles. Commençons par la plus mauvaise et, malheureusement, elle vous concerne.

Aurel ferma les yeux.

— Vous m'écoutez ?

— Oui, oui !

— Le directeur des ressources humaines au Quai vient de changer. Il y avait une dépêche ce matin là-dessus. Et figurez-vous que c'est le meilleur ami de Carteyron. Ils sont entrés au ministère ensemble et ont longtemps été considérés comme des inséparables. On les appelait « les siamois ». C'est un mauvais jeu de mots car Pham, le nouveau DRH, est d'origine vietnamienne.

— Quel effet cela va-t-il produire, selon vous ?

— Le Prache dont vous m'avez parlé, et qui est le subordonné de Pham, va avoir un boulevard pour vous faire rentrer. Un coup de fil de l'Ambassadeur à son frère siamois et deux jours après vous prenez le premier vol. Il l'a peut-être même déjà appelé.

Les jours précédents, Aurel aurait été très affecté par cette nouvelle. Mais, peut-être à cause du temps maussade, il l'accueillit avec philosophie.

— On verra bien, dit-il avec un geste las.

— Si c'est tout ce que ça vous fait, je passe à la suite. À vrai dire, rien de très encourageant non plus.

— Y a des jours comme ça...

— C'est à propos du Nakhichevan. J'ai passé pas mal de coups de fil et j'ai fait des recherches sur Internet et Diplonet. Rien à faire ! Je ne peux absolument pas envisager d'y aller en ce moment. Les visas sont bloqués pour les diplomates depuis la mort de l'Ambassadrice.

— Quel est le rapport ?

— Question de sécurité, disent-ils.

— Mais je ne comprends pas : il faut un visa alors que c'est le même pays ?

— Le territoire est très autonome. Ils n'appellent pas cela un visa mais une autorisation spéciale. En pratique, c'est la même chose.

On entendait des allées et venues sur le palier et Amélie baissa la voix.

— Il va bientôt falloir que je vous quitte. Le chauffeur de l'ambassadeur et ses gardes se préparent...

— Donc, sur le Nakhichevan, impossible de rien savoir ?

— Si, quand même, concéda la Consule. C'est d'ailleurs la seule bonne nouvelle. Nous avons un consul honoraire là-bas. C'est un professeur azéri à la retraite. Il nous sert de relais et peut accomplir quelques petites tâches d'état-civil. Je l'ai convoqué car il peut se déplacer, lui, dans l'autre sens, c'est-à-dire pour venir ici. Je vais lui demander un rapport complet sur les circonstances de l'accident.

— Je ne comprends pas : après la mort de sa femme, l'Ambassadeur n'a pas essayé de savoir ce qui s'est passé ?

— Si. Quand le corps a été ramené ici en avion militaire, Carteyron a demandé qu'on interroge le Consul honoraire. Celui-ci a simplement répondu qu'il ne savait pas grand-chose, que c'était à l'évidence un accident, et l'Ambassadeur s'est contenté de ces explications.

— Il n'a pas demandé à l'attaché de police de l'ambassade de faire une enquête ?

— Les policiers français n'ont aucune autorité ici. Et au Nakhichevan moins qu'ailleurs. La seule source pour vérifier les informations officielles, c'était notre consul honoraire. Et il n'a rien dit.

— Pourquoi croyez-vous qu'il sera plus bavard maintenant ?

— Parce que j'ai préparé des munitions.

Il lui vint alors un sourire qui dévoilait plus de malice en elle que ne le laissait supposer son air naïf habituel. Elle se reprit tout de suite et quitta Aurel précipitamment. Il attendit sans bouger que la cavalcade dans les couloirs s'éloigne, guetta par la fenêtre le départ de la voiture noire de l'Ambassadeur puis sortit et gagna son bureau.

C'était étrange : la nouvelle que lui avait communiquée Amélie ne le touchait pas. Il n'arrivait pas à croire que tout allait s'arrêter. Au contraire, il se sentait très affairé et commença à dérouler le programme qu'il s'était fixé pour la journée. Il

143

imprima d'abord les photos qu'il avait prises à partir des cadres de la salle d'attente et regardées la veille en diaporama. Cela lui prit un certain temps car il fallait les recadrer et parfois faire des agrandissements de certains détails.

Au fur et à mesure, il allait récolter les sorties papier dans le bureau d'Amélie. Il était en plein travail d'assemblage des clichés quand il entendit gratter à la porte. Il retourna vivement tous les documents et répondit.

— Entrez.

Une jeune femme passa la tête avec timidité.

— Je peux vous déranger un instant ? souffla-t-elle.

C'était Layla. Aurel se redressa sur son siège. De toute la bande avec laquelle il avait déjeuné à l'Araz, Layla était celle qui l'avait le plus inti-midé. C'était la moins susceptible d'être traitée familièrement en copine. Son sérieux, la culture musicale qu'elle avait laissé entrevoir et peut-être aussi ses origines azéries la rendaient plus mysté-rieuse et plus intimidante.

— Je voulais vous parler de quelque chose. Oh, c'est sans importance. Ça vous paraîtra peut-être bête.

— Allez-y, la pressa-t-il, et, pour mettre la jeune fille en confiance, il quitta son siège der-rière le bureau et vint s'asseoir à côté d'elle.

Malheureusement, en croisant les jambes, il découvrit des chaussettes jaunes parsemées de petits ours et cela le mit encore plus mal à l'aise.

— Voilà, l'autre jour au café, vous avez parlé de musique. Vous jouez du piano, je crois ?

— En effet. Et je suis assez impatient de recevoir le mien.

— C'est que, voyez-vous, moi je suis un peu... violoniste.

Elle avouait ce talent comme on confesse un péché.

— Oui, j'ai cru comprendre ça l'autre jour. Vous voulez en faire votre métier ?

— Je ne pourrais pas, avoua Layla en secouant la tête. Je n'ai pas un niveau suffisant. J'ai commencé des études au conservatoire. C'est bien comme cela qu'on dit ?

— Conservatoire, oui.

Layla faisait partie de ces francophones scrupuleux qui demandent toujours confirmation pour les mots difficiles.

— Merci. Voilà, à l'époque, ma sœur et moi nous vivions avec notre mère qui était très malade. Il nous a fallu travailler et j'ai arrêté les cours du conservatoire en première année.

— Quel dommage. Vous ne jouez plus ?

— Si, mais je suis un peu dans l'entre-deux. Je joue du violon tzigane et des variétés mais ça

145

ne me plaît pas trop. Pour le classique, les orchestres ici veulent des virtuoses et je suis loin d'en être une. C'est pour cela que je me suis dit...

Elle baissa les yeux et Aurel glissa vivement les pieds sous sa chaise pour éviter qu'elle ne fixe ses chaussettes.

— Vous vous êtes dit quoi, Layla ?

— Eh bien, que vous accepteriez peut-être... que nous fassions de la musique de chambre tous les deux.

Au mot « chambre », Aurel tressaillit, mais en regardant attentivement la jeune fille, il parvint à la conclusion qu'il n'y avait aucun sous-entendu dans sa proposition.

— Mais c'est une très bonne idée ! Dès que mon piano sera arrivé, nous pourrons travailler quelque chose.

— Oh, mais si vous cherchez un piano, je peux vous en trouver un facilement. Je joue la nuit dans des restaurants et si on y va le matin, ils sont fermés et on pourra utiliser tranquillement leurs pianos.

— Excellente idée. Vous savez que moi aussi j'ai longtemps joué dans des bars pour gagner ma vie ?

— Vous l'avez dit l'autre jour et cela m'a consolée. Moi, je fais vraiment ça parce que j'ai besoin d'argent. À l'ambassade, je suis à mi-temps et j'ai un très petit salaire. Vous aimiez, vous ?

— Pendant un moment, oui. Après, je me suis lassé.

Il ne pouvait pas dire : « Après, je suis devenu diplomate. » C'était vraiment ridicule.

— Et dans quelle sorte d'établissements jouez-vous ?

— J'ai fait un peu de tout. Toujours la nuit, bien sûr, puisqu'en journée je suis ici.

Aurel la regardait attentivement et, décidément, trouvait qu'elle n'était pas le genre de femme qu'on imagine travailler dans les milieux de la nuit.

— Ma sœur cadette chante. Il nous est arrivé de travailler ensemble. Maintenant, elle s'est plutôt tournée vers le rock et elle est engagée dans les boîtes de nuit. À nous deux, je pense qu'on a connu tous les lieux de sortie de cette ville...

Ils s'étaient détendus et riaient maintenant avec naturel. Aussi n'entendirent-ils pas les pas dans le couloir. Ils sursautèrent quand la porte s'ouvrit.

— Je ne te dérange pas, Aurel ?

C'était Mylène.

— Tiens, qu'est-ce que tu fais là, toi ? demanda-t-elle quand, après avoir ouvert la porte en grand, elle découvrit Layla, tassée sur sa chaise sous l'effet de la peur.

— Rien. On parlait musique. D'ailleurs, on a fini. Bon, au revoir monsieur Aurel. Et pardon de vous avoir pris votre temps.

Sans attendre de réponse, Layla se faufila vers le couloir et disparut. Mylène ferma la porte derrière elle.

— Tu devrais t'en méfier, de cette gamine, siffla-t-elle. C'est une fille du coin et, tu sais, avec les Orientales, on ne sait jamais sur quoi on tombe.

Mylène avait dû porter un fichu pour se protéger de la pluie. Ses cheveux gorgés de laque s'étaient collés en masse et aplatis.

— Tu as vu ce temps. Ce n'est que le début. Tu vas savoir ce que c'est que l'hiver ici… Froid, humide et toujours ce sacré vent. Ah, heureusement qu'ils ont le pétrole, je te le dis. Parce que, avec un climat pareil, personne n'a envie de sortir de chez soi et c'est sans doute pour ça qu'ils sont si paresseux.

Instinctivement, Aurel s'était relevé et s'apprêtait à faire le tour de son bureau pour se rasseoir.

— Où vas-tu comme ça ? Reste à côté de moi. Je te fais peur ou quoi ?

Mylène se cala sur la chaise que Layla avait occupée et la rapprocha de celle d'Aurel, en la faisant grincer sur le parquet.

— Mais pas du tout, Mylène. Je me dégourdissais les jambes, c'est tout.

— Eh bien, parlons-en, de se dégourdir les jambes. Tu en as trop dit, figure-toi, l'autre jour. Maintenant qu'on sait que tu peux tout jouer au piano, tu n'y couperas pas : tu vas nous faire danser.

Aurel avait vraiment envie de tout sauf de ça. Il était concentré sur son enquête. Une petite sonate avec Layla, passe encore. Mais faire danser Mylène et ses copines toute la nuit, c'était un cauchemar.

— Pourquoi pas ? grogna-t-il. Enfin, ce n'est pas pour tout de suite, j'imagine. Ça s'organise, une soirée de ce genre.

— Tout est prêt, mon chou. Les invitations sont lancées et j'ai trouvé le lieu. On fera ça chez Jean-Louis, le gendarme. Il habite une grande maison à la sortie de la ville. Le haut est aménagé en atelier et c'est vide, à part un piano, et ça tombe bien.

À ce moment précis, Aurel fut traversé par un doute. Il regarda Mylène fixement et fut frappé par ses yeux plus maquillés qu'à l'ordinaire, ses paupières mi-closes, ce sourire avec les lèvres légèrement écartées et la pointe de la langue qu'on apercevait derrière les dents. Se pouvait-il que... Il n'osa même pas formuler son idée.

— Mais c'est magnifique ! grinça-t-il sans laisser paraître le moindre signe d'enthousiasme.

— N'est-ce pas ?

— Et tu as prévu cela pour quand ?

— On a dit jeudi soir.

— Mais... les sénateurs seront toujours là...

— Et alors, qu'est-ce que tu en as à faire, des sénateurs ! C'est l'Ambassadeur et la Consule qui gèrent, et toi, tu n'as pas le droit de toucher à quoi que ce soit... Je me trompe ?

— Non. Tu as raison.

— Alors jeudi. On est d'accord. Plus d'objection ?

— Aucune, s'écria Aurel, un instant saisi par le fol espoir qu'une décision de la DRH l'aurait expédié loin d'ici là.

— Alors prépare-toi. Ça va chauffer.

Mylène assortit cette menace d'un sourire trouble, lascif, plein de sensualité, qui la transformait en promesse.

Elle quitta la pièce, laissant derrière elle une odeur lourde. Aurel se leva, ouvrit la fenêtre en grand et respira à pleins poumons l'air frais venu de l'extérieur. Toutes ces visites l'avaient distrait de son programme. Il ferma la fenêtre, s'assit et mit la tête dans ses mains.

La première tâche qu'il s'était fixée était de consulter Internet pour s'informer sur le pays. Au fond, jusqu'alors, il ne s'était pas beaucoup intéressé à l'Azerbaïdjan. Or, si tout se déroulait comme prévu, il allait devoir étaler des connaissances plus précises et même faire semblant de tout savoir.

VII

— Ah ! c'est toi, Petit Oncle.

Aurel tendit le bras pour saisir le réveil sur sa table de chevet. Deux heures du matin. Mihna n'était pas plus doué que lui pour le calcul des décalages horaires. Son visage de charbonnier, barbouillé de barbe et de sourcils noirs, s'encadrait sur l'écran de l'ordinateur.

— Tu m'as dit que c'était urgent, ton affaire, Aurel. Alors je m'en suis occupé tout de suite. J'attends encore pas mal d'informations mais je voulais te raconter ce que j'ai déjà appris.

— Tu as vraiment fait vite.

— Ça n'a pas été aussi compliqué que je le croyais. Ton ambassadeur a laissé beaucoup de souvenirs au Brésil.

— Ton correspondant avait entendu parler de lui ?

— Lui, non. Mais son frère est journaliste dans un magazine populaire qui s'intéresse aux célébrités et il s'en souvient très bien.

— Il s'en souvient parce qu'il était consul général de France ou pour d'autres raisons ?

— Les consuls généraux, les Brésiliens apparemment s'en moquent pas mal, déclara Mihna de sa voix si grave qu'elle faisait vibrer le haut-parleur. En soi, ça ne les fascine pas. En revanche, ce qu'ils aiment beaucoup, c'est quand un de ces gugusses dérape.

— Dérape ?

— Devient fou, si tu préfères. Il paraît d'ailleurs que ça arrive assez souvent. D'après Ricardo, mon ami entomologiste, Rio est une ville qui rend beaucoup de gens dingues.

— Qu'est-ce que tu entends par « dingues », Petit Oncle ?

— C'est à propos du fric, d'après ce que j'ai compris. À Rio, il n'est pas seulement question d'en avoir ni même d'en avoir beaucoup. Il faut le montrer. On doit claquer, flamber. Inviter, sortir. C'est à qui fréquentera les boîtes de nuit les plus chères, conduira les dernières bagnoles de luxe, se fera voir avec les filles les plus canons à son bras...

Mihna égrenait ces turpitudes d'un ton morne. La fréquentation des insectes, leurs parures d'or, leurs mœurs complexes, leur vie brève et pleine de danger l'avait rendu sceptique et même désolé face aux passions humaines.

— Beaucoup d'étrangers perdent la tête là-bas. Les diplomates sont assez exposés à ces tentations.

— Alors, pourquoi les Brésiliens se souviennent-ils particulièrement de Carteyron ?

— Parce que lui, il a littéralement explosé en vol.

Aurel recula un peu l'ordinateur qu'il tenait sur ses genoux car Petit Oncle, en gros plan, riait de toutes ses dents et il avait une effrayante tête de diable.

— Raconte.

— Il buvait du champagne toute la journée, portait des costumes italiens hors de prix, fumait des havanes.

— Pas trop méchant, tout ça.

— N'y a pas que ça. Il s'était acheté une Jaguar. Et surtout, il donnait des fêtes à tout casser à la résidence et parfois même au-dehors, dans des endroits de rêve sur la baie, qu'il louait une fortune. Les artistes, banquiers, politiques de tout poil avaient table ouverte chez lui.

— C'était son travail…

— Un peu, mais pas à ce point-là. Jamais un de ses prédécesseurs n'avait claqué autant

155

d'argent. Personne ne savait comment il arrivait à vivre sur un tel pied avec son salaire de fonctionnaire et son indemnité de résidence. D'autant qu'avant, à Brasilia, il avait un train de vie plutôt modeste.

— Et sa femme, qu'est-ce qu'elle faisait pendant ce temps-là ?

— J'allais y venir. Quand ils sont arrivés, c'était le couple idéal, brillant, jeune, sportif, élégant. Elle était très appréciée. Les Brésiliens lui trouvaient beaucoup de classe. Elle était là quand ils recevaient au consulat général et tout était toujours parfait. Et puis, ça a commencé à se gâter. Lui sortait de plus en plus seul. Il buvait beaucoup et se laissait aller physiquement. Elle s'est mise à voyager souvent. Ils ont envoyé les enfants en pension en France. Elle a prétendu qu'elle devait rester là-bas pour les installer et elle est revenue seulement au bout de plusieurs mois.

— C'était peut-être vrai, après tout.

— Je n'en sais rien. En tout cas, c'est à ce moment-là qu'il s'est affiché avec une maîtresse.

— Quel genre ?

— Comme on sait faire là-bas : 1 mètre 85, la peau café au lait, ancienne meneuse d'école de samba, une plastique de bombe atomique.

— Ils se montraient ensemble ?

— Et comment ! D'ailleurs, mon ami Ricardo m'a envoyé des liens et je vais te les faire suivre. Si tu les ouvres, tu verras plein d'articles et de reportages sur eux.

— Il l'entretenait ?

— C'est sûr. Et ce n'était pas le genre de fille à s'habiller chez H&M. Il paraît qu'il lui louait un appartement sur la mer à Ipanema. On a su tout ça après.

— Après quoi ?

— Quand il est parti.

— Justement, tu sais quelque chose sur la fin de sa mission ?

— Pas encore, mais je devrais avoir des infos de première main demain matin. Tout ce que je sais, c'est qu'il y a eu un début de scandale et que l'affaire a été étouffée. Mais je te dis, je saurai tout très bientôt.

— Merci, Petit Oncle. C'est vraiment du bon travail. Rappelle-moi quand tu auras du nouveau.

Aurel finit sa nuit entre veille et sommeil. Il surfa sur les sites que lui avait fait passer Mihna.

Les articles étaient écrits en portugais et Aurel ne comprenait pas tout. Mais ils confirmaient ce que Petit Oncle avait raconté. Quant à la maîtresse de Carteyron, qui se prénommait Lucilda, c'était en effet un monument. Il fallait un certain courage, ou une certaine inconscience, pour se

157

lancer dans une aventure avec une femme aussi imposante, sculpturale, d'une sensualité ravageuse. Aurel se dit qu'il n'aurait jamais pu affronter un tel personnage. Rien que l'idée le terrifiait. Puis il pensa qu'heureusement il était tout à fait à l'abri de telles tentations. Soudain, par association d'idées, l'image de Mylène lui revint et l'angoisse le reprit. Il avait beau être quatre heures et demie du matin, il alla à la cuisine se verser coup sur coup deux verres de blanc. Il tituba jusqu'à son lit et s'endormit rasséréné.

*

Huit heures du matin ; ils marchaient vite, sur des trottoirs défoncés car Amélie avait préféré prendre ce chemin discret pour rejoindre la place des Fontaines. Aurel, mal réveillé de sa courte nuit, boitait parce qu'il avait enfilé par erreur des mocassins de soirée vernis qui lui faisaient très mal aux pieds.

— À l'Araz, je ne pense pas qu'on risque de rencontrer trop de monde à cette heure-ci, et l'ambassadeur n'y va jamais.

— Il ne va pas trouver ça bizarre, votre consul honoraire, que vous lui donniez rendez-vous en ville et pas au bureau ?

— C'est le marché, justement. Je vais commencer par lui révéler quelques petites choses que je sais sur lui. Ensuite je vais lui dire : soit vous répondez à mes questions et je garde tout cela pour moi, soit vous refusez et je transmets un rapport officiel sur vos tripotages. Je parie qu'il ne prendra pas le risque de se voir retirer son accréditation consulaire.

— Il y tient tant que ça, à rester consul honoraire ?

— Et comment ! Là-bas, il en a fait un business rentable. Il pique allègrement dans la caisse et le petit budget qu'on lui alloue pour ses activités consulaires – pas si petit que ça d'ailleurs – passe presque entièrement dans sa poche. En plus, il monnaye tout un tas de services qu'il est censé rendre gratuitement. Il trafique beaucoup de faux documents, par exemple des diplômes bidons qu'il authentifie pour les étudiants qui veulent partir en France. Et puis il roule dans une voiture avec des plaques diplomatiques, ce qui lui permet d'entrer partout…

— Vous avez appris tout ça à cause de notre enquête ou vous fermiez les yeux avant ?

— Je savais que le personnage était louche, mais, disons, je me suis penchée plus attentivement sur son cas.

Ils n'eurent pas à chercher longtemps en entrant à l'Araz ; le café était vide, à l'exception d'un petit homme rondouillard, le visage barré par une grosse moustache grise. En les apercevant, il s'était levé et rajustait sa cravate. Aurel observa sa tenue et se dit que le Consul honoraire devait se fournir dans la même boutique que lui. Le vendeur lui avait d'ailleurs laissé entendre que le style apparatchik se perpétuait davantage dans les provinces, surtout si elles étaient éloignées, comme le Nakhichevan.

— Quel plaisir, quel bonheur de vous rencontrer chère madame, bava le Consul honoraire. Et je suis enchanté de faire votre connaissance, monsieur. Monsieur... ?

— Timescu.

Les manières du vieil homme étaient d'une onctuosité qui évoquait pour Aurel un plat populaire préparé en Roumanie à l'occasion de Pâques et qu'il n'avait jamais pu manger sans être écœuré.

— Soyons directs, monsieur Narimanov.

— Mais volontiers, madame la Consule. Je vous écoute.

— Non, c'est moi qui vais vous écouter. Réglons d'abord un point : voici un mémo qui résume l'essentiel concernant vos activités consulaires.

160

Elle fit glisser une feuille sur la table. Aurel nota que c'était un papier sans en-tête, pour signifier que rien de ce qui y était écrit ne pouvait encore être considéré comme officiel. Il admira le visage impassible et fermé que prenait Amélie. À l'occasion de cette enquête, elle était en train d'acquérir une autorité remarquable et révélait de vraies qualités de négociatrice.

Le Consul honoraire chaussa des lunettes carrées cerclées de métal qu'Aurel trouva très élégantes, dans le genre soviétique. Il lut le mémo attentivement puis rendit la feuille à Amélie.

— Que voulez-vous savoir ?

Aurel reconnut là la puissance de la vieille formation marxiste-léniniste : la capacité à évaluer les rapports de forces...

— Je veux que vous me parliez des circonstances dans lesquelles Marie-Virginie de Carteyron a trouvé la mort.

— J'ai adressé un rapport à l'Ambassadeur...

— Qui ne contenait rien.

Narimanov se redressa et lissa sa moustache en prenant un air finaud.

— Si l'âge m'a enseigné quelque chose, madame, c'est que la curiosité n'est jamais une qualité, surtout chez nous.

— Gardez vos préceptes pour vos petits-enfants, répliqua sèchement Amélie, que la référence à l'âge avait agacée. Et dites-moi ce que vous savez vraiment. Vous êtes allé sur les lieux ?

— Je connais la forteresse d'Ordubad, même si j'habite à Nakhichevan.

— Mais vous y êtes allé au moment de l'accident ?

— Le lendemain.

— Vous avez vu le lieu précis où le corps a été retrouvé ?

— Il avait déjà été retiré et transporté sur la base aérienne. Mais, en effet, j'ai vu l'endroit.

— Vous paraît-il vraisemblable que Mme l'Ambassadrice ait pu glisser accidentellement du chemin de ronde à l'aplomb de l'endroit où on a retrouvé son cadavre ?

Le Consul honoraire se troubla. Il regarda autour de lui, vérifia que personne ne pouvait les entendre.

— En vérité, je me suis tout de suite interrogé, quand les militaires m'ont exposé ce scénario, et j'ai vu qu'eux-mêmes n'y croyaient pas. Mais tout le monde se connaît, dans notre province. Nous savons qu'il est souvent présomptueux et toujours imprudent de remettre en cause les déclarations officielles.

— Pourquoi pensez-vous qu'elle ne pouvait pas être tombée là accidentellement ?

— Parce que les murailles sont très hautes et très solides sur cette partie de la forteresse. Depuis le chemin de ronde, il n'y a aucun risque de tomber. Et je ne vois pas pourquoi, même pour prendre des photos, elle aurait grimpé sur le mur. Il n'y a rien à voir de là-haut : on est derrière le donjon et la vue est bouchée. De plus, je n'ai vu aucune pierre descellée comme on l'a prétendu.

Il hésita puis continua en baissant la voix.

— Il y a aussi un détail qui ne cadre pas avec la thèse de l'accident. J'ai entendu dire que l'appareil photo de l'Ambassadrice aurait été retrouvé intact, en haut, sur le chemin de ronde. Si elle avait fait une chute en prenant des photos, elle l'aurait eu dans les mains et elle serait tombée avec.

— Qu'est-il devenu, cet appareil ?

— Il a été rendu à l'Ambassadeur.

— Il n'en a jamais parlé... dit Amélie.

Elle échangea avec Aurel un regard d'intelligence. Ce qui n'avait encore été pour eux qu'une intuition trouvait pour la première fois une confirmation. Ils n'étaient plus à la poursuite d'un rêve mais comprenaient qu'ils avaient engagé le combat contre un véritable ennemi : celui qui avait tué Marie-Virginie de Carteyron.

— Alors d'où vient, selon vous, la thèse de l'accident ? Qui a imposé la vérité officielle ?

— Je l'ignore, mais il est vraisemblable que tout est parti du gouverneur. Chez nous, rien ne se passe sans qu'il y ait un contrôle au plus haut niveau. Surtout quand des étrangers, et plus encore des diplomates, sont concernés.

— Si la piste accidentelle est écartée, demanda Amélie, quelles autres hypothèses peut-on formuler ? Un suicide ?

On sentait qu'elle mentionnait cette possibilité sans y croire elle-même.

— Je n'ai jamais eu envie de mettre fin à mes jours mais il me semble que, si c'était le cas, je ne choisirais pas un endroit pareil. Déjà, la forteresse d'Ordubad est sinistre, mais, en plus, le coin où on a trouvé cette malheureuse femme est particulièrement sordide. Des rochers tranchants en bas, et, pour franchir le mur d'enceinte, c'est toute une gymnastique. Il y a des coins, sur les mêmes remparts, qui sont plus accessibles.

— Alors, quoi d'autre ? Vous avez bien votre idée ? Vous êtes un homme d'expérience et plein d'imagination.

Le Consul honoraire eut la coquetterie de prendre une mine modeste, comme si c'était lui faire trop d'honneur de lui supposer de telles qualités.

— S'il faut vous dire le fond de ma pensée, mais je ne souhaite vraiment pas que quiconque...

— Allez-y, vous avez ma parole. Mon collaborateur ici présent ne dira rien non plus.

— Eh bien, en voyant les lieux, j'ai pensé à une course-poursuite.

— Que voulez-vous dire ?

— Le chemin de ronde, à cet endroit, fait un angle puis se termine en cul-de-sac. Le seul moyen de continuer, c'est de revenir en arrière et de prendre un escalier étroit quelques dizaines de mètres avant, pour rejoindre la suite de la promenade des remparts. En somme, si quelqu'un était poursuivi et qu'il courait pour s'échapper, il est vraisemblable, à moins qu'il ne connaisse très bien les lieux, qu'il manquerait cet escalier et qu'il irait buter sur le fond de cette impasse.

Amélie but son café. Elle méditait cette révélation. Aurel, pendant ce temps, scrutait le visage du vieux professeur et ne distinguait rien dans ses traits qui pût lui faire mettre en doute son récit.

— Si, comme vous le pensez, Marie-Virginie de Carteyron a été poursuivie, elle a peut-être crié, appelé au secours. Personne n'a rien entendu ?

Le Consul honoraire eut un sourire triste.

— On voit, madame, que vous ne connaissez pas les lieux. Cette forteresse est loin de tout. Il n'y a rien aux alentours. Le piton sur lequel elle est construite est battu par les vents et le seul bruit qu'on entende, ce sont les choucas qui tournoient au-dessus des murailles.

— Elle n'est pas gardée ?

— Il y a seulement un vieil employé à l'entrée qui fait payer les visiteurs sans donner de ticket. Il est presque aveugle et à moitié sourd. Autant dire que même si cette malheureuse avait crié à l'autre bout des remparts, il n'aurait rien entendu. Et que s'il avait entendu, il n'aurait rien dit.

— Il doit savoir combien de visiteurs sont entrés ce jour-là. Et combien étaient présents sur le site au moment de l'accident.

— La police lui a demandé mais il a répondu qu'il n'avait vu personne d'autre que l'Ambassadrice. Ça ne veut pas dire grand-chose. Étant donné qu'il ne donne pas de reçu, il doit sûrement se mettre l'argent des entrées dans la poche. Il n'inscrit pas tous les visiteurs sur son registre. Ce matin-là, il n'avait déclaré que Mme de Carteyron, sans doute parce que c'était une étrangère et qu'il s'en méfiait. S'il avait vendu d'autres entrées, il n'avait pas forcément envie de l'avouer...

— Vous le connaissez ?

— Un peu.

— Vous pourriez l'interroger à nouveau pour qu'il nous dise la vérité sur le nombre d'entrées réelles et l'identité des visiteurs ce jour-là ? Je suis sûre que vous saurez trouver les bons arguments pour le convaincre de parler.

— Je peux essayer, oui.

Amélie saisit le mémo qui était resté sur la table pendant la discussion. Elle le plia et, ostensiblement, le mit dans son sac, façon de faire comprendre au consul honoraire qu'il n'était pas tiré d'affaire. Aurel admira cette habileté un peu cruelle. Il était très fier de sa petite cousine.

*

Sur le chemin du retour vers l'ambassade, Amélie marchait les poings serrés et gardait un visage fermé.

— Il faut qu'on trouve qui a fait ça.

Elle pensait à Marie-Virginie et la colère le disputait en elle à un immense chagrin.

— Penser qu'elle est morte comme ça, de façon ignoble, et que personne ne s'en préoccupe. Que personne ne cherche à lui rendre justice…

— Si ! Nous. On ne va pas lâcher le morceau.

167

Amélie s'arrêta et regarda Aurel comme si elle se rendait compte seulement à l'instant de sa présence.

— Il est possible que demain matin on reçoive un télégramme pour vous faire rentrer. Et je ferai quoi, moi, toute seule ?

Aurel était attendri. La jeune femme avait repris un air d'enfant contrarié et il n'aurait pas été surpris si elle s'était mise à taper du pied comme le faisait sa petite cousine.

— J'ai peut-être une idée.

— Une idée pour quoi faire ? demande Amélie, en haussant les épaules.

— Pour ne pas partir.

Ils étaient presque en vue de l'ambassade et comme ils étaient convenus de ne pas y entrer ensemble, Aurel s'arrêta.

— Où sont vos sénateurs en ce moment ?

— Je ne vois pas le rapport.

— Si, si ! Il y en a un. Où sont-ils ?

— Aujourd'hui, ils ont demandé à rester à leur hôtel. Ils sont fatigués parce qu'ils sont à la moitié de leur tournée. Avant de venir ici, ils ont passé une semaine en Géorgie.

— Quel hôtel ?

— Le Fairmont.

— Dans les tours du feu ?

Les façades en verre de ces immenses tours construites sur une colline dominant la ville sont illuminées de jour comme de nuit par des projections mobiles et colorées. Elles donnent l'impression de brûler comme de gigantesques torches.

— Oui. Et comme ils n'ont pas de programme aujourd'hui, je pense qu'ils vont rester toute la journée là-bas.

Aurel trépignait soudain d'impatience. Il saisit les mains d'Amélie et les serra dans les siennes.

— Écoutez-moi ! Je sais que vous n'avez pas le droit de me confier la moindre responsabilité mais, croyez-moi, personne ne saura que c'est vous qui me l'avez donné.

— Donné quoi ?

— Un dossier sur ces trois sénateurs. Leur nom, leur photo, leurs origines professionnelles, la région dont ils sont élus... Et une copie de leur feuille de route. Pas besoin que ce soit long mais il me faudrait ça dans une heure ou deux.

— Qu'est-ce que vous voulez faire de ces renseignements ? Vous n'avez pas l'intention de rencontrer ces sénateurs ? L'Ambassadeur vous tuerait...

— Faites-moi confiance, Amélie.

Avec sa couronne de cheveux en bataille autour de son crâne luisant et son nez rougi par la marche à pied, Aurel avait un air de clown attendrissant, qu'il accentua sciemment en penchant la tête de côté et en se fendant d'un bon sourire. La Consule éclata de rire.

— Je ne sais pas ce que vous préparez mais, d'accord, vous aurez un petit dossier dans une heure. Je le mettrai dans une enveloppe fermée et je vous le ferai porter dans votre bureau par Mylène.

— Ah, non ! Pas Mylène...

Aurel n'avait pas pu se retenir de crier.

— Et pourquoi pas elle ?

— Pour rien... bredouilla-t-il. Excusez-moi. C'est que j'ai peur d'une indiscrétion... Enfin, si vous avez confiance en elle... Va pour Mylène.

— À la bonne heure.

— Il y a encore autre chose.

— Quoi donc ?

— Il me faudrait une des voitures du consulat pour la soirée.

Aurel avait lancé cette demande comme une bombe et il ferma les yeux en attendant qu'elle fasse son effet.

— Comment ? Mais vous êtes fou. Jamais je ne pourrai justifier cela. J'ai ordre exprès de ne vous laisser toucher à rien. Une voiture !

La tempête se calmait. Aurel rouvrit les yeux.

— Vous laissez les clefs traîner sur votre bureau et je les prends.

— Vous voulez voler une voiture du consulat ?

— Les grands mots, tout de suite ! Je l'emprunte, et si on le sait...

— Qui « on » ?

— L'Ambassadeur, par exemple. Eh bien, je prendrai toute la responsabilité sur moi.

— Ce n'est pas comme ça que vous allez prolonger votre séjour, ironisa Amélie.

— On verra. Alors, vous êtes d'accord ?

La Consule pensa de nouveau aux révélations du consul honoraire et l'indignation revint.

— D'accord. Je m'absenterai entre quinze et seize heures. Vous prendrez les clefs de la Zoe en même temps que l'enveloppe sur mon bureau.

Pendant qu'Amélie s'éloignait vers l'ambassade, Aurel entra dans un café et commanda trois verres de blanc. Il les posa côte à côte et les vida l'un après l'autre, en les regardant d'un air mauvais, comme un bourreau qui exécute une série de condamnés.

*

Le hall de l'hôtel Fairmont à Bakou a les dimensions d'une nef de cathédrale. Une lumière d'un jaune onctueux dégouline le long de lustres en verre qui forment comme une gigantesque grappe de raisin mûr au-dessus des têtes.

Le plan d'Aurel était arrêté. Il avait choisi un des sénateurs et toute l'affaire consistait à gagner sa confiance. Quand il pénétra dans l'hôtel, il était tendu vers cet objectif. Il se planta un instant au milieu du hall, comme un plongeur qui se concentre avant de sauter. Il regarda autour de lui pour s'assurer qu'aucun autre membre de l'ambassade ne traînait dans les parages.

Au passage, son œil fut attiré par un piano disposé dans un des angles, près d'un pilier monumental. Jamais il n'avait approché un tel instrument. La comparaison qui venait immédiatement à l'esprit en voyant ce piano italien aux lignes épurées était une Ferrari. La chambre d'harmonie de taille « pleine queue » ne reposait pas sur quatre pieds mais sur un seul qui avait la forme d'une lame d'acier surgissant du sol.

Résistant à la tentation, Aurel dédaigna l'instrument et se dirigea vers la réception. Une très jolie fille en uniforme braqua sur lui des yeux verts en forme d'amande et il recula d'émotion.

— Mademoiselle, prononça-t-il enfin en se ressaisissant, pouvez-vous prévenir M. Gauvinier, chambre 1450, qu'un membre du consulat de France l'attend dans le hall.

La réceptionniste décrocha son téléphone et Aurel attendit, en faisant les cent pas, jetant des regards gourmands vers le piano silencieux. Enfin, un des ascenseurs s'ouvrit et un homme en complet veston sortit, l'air égaré. Aurel reconnut le visage qu'il avait vu sur la fiche préparée par Amélie.

— Monsieur le Sénateur, s'écria-t-il en s'empressant. Je suis Aurel Timescu, Consul adjoint à l'ambassade de France.

Par superstition, tant qu'il n'était pas sûr de rester, il ne s'était pas encore fait faire de cartes de visite. Il le regrettait, car, avec son gros accent roumain, il craignait toujours qu'on le prenne pour un imposteur.

Heureusement, ce n'est jamais en vain qu'on tend la main à un homme politique. Fût-il sur son lit de mort, il aura toujours le réflexe de la serrer et de sourire. C'est ce que fit le sénateur, puis l'esprit lui revint.

— Je croyais que nous n'avions rien de prévu aujourd'hui...

L'homme avait un accent rocailleux du Sud-Ouest qui évoquait les champs de pruniers, les vallées verdoyantes et le gavage des oies. Il était tout de suite sympathique, même quand il faisait mine de s'indigner, comme à cet instant.

— Vous avez raison, concéda Aurel. Il n'y avait rien d'obligatoire sur votre programme. Mais l'Ambassadeur a tenu à ce que vous ayez le choix. Vos collègues ont fait savoir qu'ils comptaient se reposer, mais comme nous n'avons reçu aucune instruction de votre part, je suis venu vous proposer d'aller dîner dans un restaurant gastronomique et de goûter les vins locaux. Ils ne valent pas les nôtres, c'est entendu, mais on peut y trouver son compte quand même.

Le sénateur Noël Gauvinier était plus grand et plus gros qu'Aurel ne l'avait imaginé en regardant sa fiche. Il dominait de sa masse le petit personnage au costume démodé et à l'accent inconnu, et le trouvait amusant.

— Pourquoi pas ? Je serai aussi bien là-bas que dans cette tour sinistre. Je vous suis.

Ils traversèrent le hall, Aurel en tête, avançant comme un remorqueur qui tire un paquebot. Il fit exprès de passer le long du piano et, comme il l'espérait, le sénateur tomba en arrêt devant l'instrument.

— Dites donc, c'est un piano, cette bête ? On dirait un avion de chasse.

— Un des pianos les plus chers du monde. Un Fazioli. Je n'en avais encore jamais vu autrement qu'en photo. Vous êtes musicien ?

— J'ai fait un peu d'accordéon quand j'étais jeune mais il a coulé de l'eau sous les ponts depuis. Et vous ?

— Ça a été mon métier, avoua Aurel avec un air modeste.

— Eh bien, essayez-le, celui-là. J'ai l'impression que ça vous démange.

Des cordons en passementerie rouge étaient tendus entre deux piquets dorés devant l'instrument, pour en interdire l'accès. Le sénateur déplaça un des piquets et fit signe à Aurel de s'installer.

— Ils ne vont rien vous dire, tout de même.

Aurel s'assit, régla le siège et souleva le capot. Il se dégourdit les mains puis attaqua la *Pathétique* de Beethoven. Le sénateur approuvait de la tête. Dans l'immense hall, les notes de piano se mêlaient à la musique d'ambiance que diffusaient des haut-parleurs invisibles. Les réceptionnistes et plusieurs clients tournèrent la tête vers le pianiste. Des mouvements divers agitèrent les vigiles, du côté de la grande porte d'entrée. Aurel plaqua un accord final et Gauvinier applaudit. À cet instant, un gardien, talkie-walkie en main, vint signifier à Aurel qu'il était interdit de toucher à l'instrument. Le sénateur protesta, en disant qu'il était client et que le client est roi. Son visage vira au rouge brique et sa nature coléreuse se révéla dans toute sa force.

Pour ne rien arranger, le vigile ne comprenait pas le français et Gauvinier, en mobilisant les quelques mots d'anglais qu'il connaissait, lâcha sans s'en rendre compte plusieurs injures. Le garde battit en retraite et, pour fêter cette victoire, Aurel se mit à chanter *Singing in the rain*, en frappant les touches avec force.

Le vigile rabroué revint alors à la tête d'une escouade de gardes à la mine peu avenante et réitéra sa sommation. Aurel, encouragé par l'indignation du sénateur, se mit à brailler une *Marseillaise* en jouant debout. Deux malabars le saisirent sous les bras pour le déloger tandis qu'un troisième, avec des gestes tendres de chaisière, referma le piano et frotta la laque noire avec sa manche pour ôter les traces de doigts.

Quand ils se retrouvèrent dehors, le sénateur partit d'un grand rire et donna une bourrade à Aurel.

— Ah, je sens que je vais bien m'amuser avec vous, mordiou ! Où m'emmenez-vous, maintenant ? Vous permettez que je vous appelle par votre petit nom ? Comment est-ce, déjà ? Avrell ?

— Aurel.

— Eh bien, en route, Ôrel-le. À nous deux, Bakou !

176

La voiture du consulat attendait sous l'immense porche de l'hôtel. Au volant, Faïg, le fils de la gardienne d'Aurel, avait été réquisitionné pour servir de chauffeur toute la soirée. Aurel se glissa à l'arrière. Le sénateur se tassa sur le siège avant. Son ventre touchait presque le tableau de bord de la Zoe. Il croisa ses avant-bras dessus, comme s'il eût porté un parachute ventral.

— Excusez-nous. Le consulat ne dispose pas d'un grand parc automobile et toutes nos voitures étaient en révision.

— On est très bien.

— Je vous propose d'abord de faire un tour de la ville.

— Avec plaisir.

La voiture démarra dans un feulement de moteur électrique. Pendant qu'ils descendaient vers la voie rapide, ils découvrirent la mer qui brillait sous une lune pleine. Des feux de bateaux parsemaient la baie et, le long du rivage, les lumières multicolores d'une grande roue de fête foraine se reflétaient dans l'eau noire.

— C'est beau, dit le sénateur. On dirait le bassin d'Arcachon.

Aurel respira profondément. Cette partie-là, au moins, était gagnée.

VIII

C'est sans s'être couché de la nuit qu'Aurel pénétra dans l'ambassade, à huit heures et demie du matin.

— Tout de suite, chez la Consule ! lui souffla le gendarme, l'air affolé.

— Elle est déjà arrivée ?

— Elle t'attend depuis une heure.

Aurel se traîna dans l'escalier en colimaçon. Il était essoufflé et la tête lui faisait mal. Amélie le guettait sur le palier. Elle le fit entrer dans son bureau puis ferma la porte.

— La Zoe ? commença-t-elle.

— Dans le garage du pool. Rien à signaler.

— Ouf ! Bon, comment cela s'est-il passé ? Vous avez pris quel sénateur, finalement ?

— Celui du Tarn, et je n'ai pas regretté. Ça n'aurait pas marché aussi bien avec le communiste breton ou le gynécologue centriste...

— Le contact a été bon ?

— Il faudra attendre un peu pour lui demander, ricana Aurel. À l'heure qu'il est, il ronfle dans sa chambre d'hôtel et on l'entend dans tout l'étage.

— Il ne sera pas avec la délégation ce matin, alors ? L'Ambassadeur doit aller les chercher à dix heures pour deux audiences ministérielles suivies d'un déjeuner à la résidence.

— Je serais surpris qu'il arrive à embarquer Gauvinier. À moins qu'il vienne avec une ambulance... Mais ne vous inquiétez pas. En le raccompagnant, j'ai laissé un mot à la réception pour expliquer qu'il ne fallait pas le déranger.

— Un mot signé de vous ? s'alarma Amélie.

— De lui.

— Bon. Mais qu'est-ce que vous lui avez fait faire pour le mettre dans un état pareil ?

— Rien d'extraordinaire. On a dîné chez Firouzé, vous connaissez ? Ce sont des caves voûtées typiques, avec des tapis aux murs. Là-bas, on est tombés sur Layla qui jouait avec un groupe tzigane. Ce n'était pas tout à fait par hasard. Je savais qu'elle était de service ce jour-là.

— Layla ? La Layla du service culturel ?

— Oui. Elle est musicienne.

Décidément, Amélie n'aurait jamais fini d'être étonnée avec Aurel. Elle le regarda, affalé sur sa chaise, la chemise ouverte jusqu'au milieu de la poitrine, le veston fripé. Il avait égaré une chaussette, son pied droit était nu dans la chaussure. Elle ne put s'empêcher de sourire.

— Qu'est-ce que vous avez aux mains ?

Aurel leva les bras et parut s'apercevoir du maillage marron dessiné sur ses paumes et le dos de ses mains, comme des mitaines de dentelle.

— Oh, ça ? Ce n'est rien. Du henné.

— Montrez. C'est bien fait, en plus. Vous me donnerez l'adresse…

Il haussa les épaules.

— Après le dîner, reprit-il pour couper court aux sarcasmes d'Amélie, Layla nous a guidés dans la ville. On est allés dans une boîte de nuit où chantait sa sœur. Après, on a atterri dans un salon de massage. Les hôtesses ont voulu nous offrir des décorations au henné et on les a laissées faire.

— Vous êtes en train de me dire que vous avez amené le sénateur dans un bordel !

— Pas de gros mots, s'il vous plaît, se récria Aurel. Il ne s'agit pas de ça. D'ailleurs, entre l'alcool et les femmes, le pauvre homme a fait son choix depuis longtemps.

— Alors, les hôtesses ? Le henné ?

— Juste le savoir-vivre oriental. Elles nous ont mis à l'aise pendant qu'on continuait à discuter et à boire. Mais rien de charnel, je vous rassure.

181

— Elles l'ont peint au henné aussi ?

— Oui. Il a adoré ça.

— Et peut-on savoir sur quelle partie du corps il a été décoré ?

— Hi ! Hi ! La fesse gauche.

— Vous plaisantez ?

— Non. Il s'est fait faire un massage et pendant qu'il était allongé sur le ventre, deux filles lui ont peint la fesse gauche. Il faut dire qu'il y a de la place. Elles auraient pu reproduire la Victoire de Samothrace grandeur nature.

Aurel sentait qu'Amélie était trop pudique pour le relancer sur de tels sujets. En effet, elle partit dans une autre direction.

— Il faudrait que vous m'expliquiez à quoi ça a servi, toute cette équipée, à part vous faire passer du bon temps.

— Eh bien, d'abord, Gauvinier ne jure plus que par moi. Quand je lui ai dit que je pouvais être rappelé à Paris, il s'est mis en colère. Le bonhomme n'est pas facile. Dès qu'il sera en état, il demandera à l'Ambassadeur que je reste avec lui jusqu'à son départ. Si on compte le week-end et la journée d'hier, ça me fait gagner dix jours.

La Consule acquiesça.

— Bien joué, concéda-t-elle. Dois-je comprendre qu'il va vous demander de l'emmener faire la bombe tous les soirs ?

— Pas du tout, s'indigna Aurel. Il m'apprécie surtout pour ma conversation.

— Ah oui ?

— Je l'ai informé toute la soirée, enfin surtout au début, sur les réalités géographiques, politiques et culturelles de ce pays.

— Et d'où sortez-vous cette science ?

— Les paroles sont de Wikipédia mais c'est moi qui les ai mises en musique.

— Félicitations.

Aurel jugeait qu'il y avait beaucoup trop d'ironie dans ce commentaire.

— Il m'a aussi beaucoup parlé de la mission sénatoriale à laquelle il participe ici.

— Parce qu'il pense avoir une mission ? Vous savez, des sénateurs qui se baladent, il y en a partout dans le monde, et si cela servait à quelque chose, ça se saurait.

Elle avait beau être jeune dans la carrière, Amélie avait déjà fait siens les préjugés des diplomates à propos des politiques.

— Ils font partie de la commission économique du Sénat et ils sont mandatés pour enquêter sur les relations entre l'Azerbaïdjan et la France. Le ministère est d'accord, à ce qu'il paraît. Ce n'est pas officiel mais on peut dire en quelque sorte qu'ils effectuent une inspection sauvage. Ils rendront un rapport confidentiel à leur retour.

— Illustré avec des photos de tatouage ?

— C'est très sérieux, s'insurgea Aurel, la mine vexée. Leur sujet, c'est le commerce extérieur et l'avenir des grands contrats.

Amélie avait repris son sérieux. Aurel en profita pour pousser son avantage.

— Bercy a identifié l'Azerbaïdjan comme un partenaire de grand avenir. Pays stable, revenus pétroliers importants, politique internationale équilibrée, proche des Russes mais soucieux de ne pas trop dépendre d'eux.

— Merci, j'ai lu Wikipédia comme vous. Je sais tout cela.

— D'accord, mais saviez-vous que le ministère de l'Économie est en conflit avec le Quai d'Orsay sur ce sujet ?

— En conflit ?

— Parfaitement. Les gens de Bercy reprochent aux diplomates de ne pas savoir transformer l'essai. Tous les projets de grands contrats ces deux dernières années ont capoté à la dernière minute.

— C'est à cause de notre soutien à l'Arménie. Dès qu'ils savent qu'un ministre ou le président vont là-bas, les Azéris nous punissent par des mesures de rétorsion économique.

— D'après le ministère, ce n'est pas la seule explication. Il y a quelques semaines, une grosse commande d'avions de ligne Airbus a été annulée à la dernière minute sans aucune explication. Ce sont les Américains qui ont eu le marché. Les sénateurs sont venus voir où ça coince. Ils pensent que l'Ambassadeur fait de son mieux mais qu'il ne peut pas y arriver tout seul.

— Admettons, concéda Amélie. En tout cas, ce n'est pas notre sujet. À supposer que vous ayez raison et que l'Ambassadeur accepte de vous laisser accompagner le sénateur pendant tout son séjour, ce dont je doute, cela ne va pas vous laisser beaucoup de temps pour notre enquête.

— Rassurez-vous, Gauvinier ne veut pas que je l'accompagne partout. Quand ils auront des rendez-vous officiels, ils iront seuls. Ce soir, par exemple, ils sont invités à un cocktail dînatoire avec les Français de Bakou.

— Je sais. C'est moi qui l'organise.

Amélie regarda sa montre.

— Il va bientôt falloir que je me prépare pour accompagner l'Ambassadeur au Fairmont à dix heures. Votre enquête avance ?

— J'ai reçu quelques informations du Brésil par un ami et j'en saurai plus tout à l'heure. Mais j'avais une question à vous poser.

— Faites vite, alors.

— Vous avez côtoyé Carteyron et sa femme pendant deux ans...

— Un peu moins, oui.

— Avez-vous noté un changement entre le moment où ils sont arrivés ici et ces derniers mois ?

— Considérable. Au début, l'Ambassadeur était assez calme et leurs rapports avaient l'air bons. Petit à petit, tout s'est dégradé. Il s'est mis à sortir seul, à dépenser beaucoup... à boire.

Amélie ne parlait pas de cela sans gêne. On sentait que pendant longtemps elle avait gardé ces remarques pour elle et qu'elle craignait de les livrer à un tiers.

— D'après les premières informations que j'ai reçues du Brésil, ça s'est passé de la même manière là-bas. Vous pensez qu'il avait une maîtresse ?

— Ça ne me surprendrait pas du tout. En tout cas, je peux vous dire que Marie-Virginie était très délaissée. Si elle ne disait rien, je suis sûre qu'elle souffrait beaucoup.

— Comment réagissait-elle ? Elle avait des amants de son côté ?

La jeune Consule eut un sursaut brutal.

— Un autre homme ! s'écria-t-elle.

Dans son cri d'indignation, Aurel se demanda si c'était l'idée que Marie-Virginie trompât son mari qui choquait Amélie ou si quelque chose de plus intime ne se cachait pas derrière le mot « homme ». Il n'osa pas poursuivre dans cette direction.

— Elle parvenait tout de même à parler à son mari ?

— Je l'ignore, mais ce dont je suis certaine, c'est que cette femme, malgré ce qu'il lui a fait subir, ne l'a jamais abandonné.

— Pourtant on m'a dit qu'elle s'absentait beaucoup, qu'elle était restée plusieurs mois en France.

— Elle se montrait digne. Elle n'allait pas attendre chez elle sans rien faire pendant que son mari voyageait sans elle, sortait seul et écumait les boîtes à la mode. Elle s'est concentrée sur son travail de photographe. Et elle assurait toute la charge de la famille, notamment en ce qui concernait l'éducation des enfants.

— Vous voulez dire qu'au fond elle se comportait avec son mari comme une mère avec un enfant capricieux ?

Amélie se leva et, tout en parlant, se dirigea vers le portemanteau.

— Il y a sûrement quelque chose avec cette idée de mère. Un jour, nous avons visité ensemble, elle et moi, un orphelinat. Elle m'a confié en sortant : « C'est terrible de ne pas avoir de parents, mais parfois, c'est pire encore d'avoir ceux que l'on a. »

— Elle pensait à qui ?

— Pas à elle-même. Je sais qu'elle s'entendait bien avec ses propres parents. C'est de ceux de son mari qu'elle parlait. Sa mère en particulier. Une femme autoritaire, ambitieuse, qui avait réduit son mari en esclavage et qui élevait son fils comme un petit roi... Elle est morte à l'époque où ils étaient au Caire.

Amélie avait enfilé son manteau. Elle mit un doigt sur sa bouche avant d'ouvrir la porte. Puis elle se faufila dans le couloir en refermant rapidement derrière elle. Aurel attendit comme la veille le départ du convoi officiel pour sortir à son tour et gagner son cagibi. Il n'avait pas fait deux pas que Mylène bondissait sur lui.

— N'oublie pas ! Vingt heures, ce soir. Tu as bien noté l'adresse ?

Après la nuit qu'il venait de passer, cette soirée était la dernière chose dont Aurel avait envie. Mais les yeux fardés au cobalt de Mylène le terrifiaient à un tel point qu'il n'eut même pas l'idée de protester.

— Bien sûr ! gémit-il. Tu peux compter sur moi.

Elle le laissa partir et c'est au comble de l'accablement qu'il arriva dans son bureau. Il réfléchit un instant puis se dit qu'il ne tiendrait pas le coup s'il n'allait pas se coucher un peu. Il n'était que dix heures et demie mais, après tout, l'ambassade était presque vide. Il descendit, sortit sans dire où il allait et se hâta de rentrer chez lui. Sans manteau, dans sa tenue de noctambule, il grelottait et serrait les revers de sa veste autour de son cou. Les passants sursautaient en le voyant brandir deux mains enserrées dans d'horribles toiles d'araignée couleur de rouille.

Avant de franchir sa porte d'entrée, il s'assura d'un coup d'œil qu'un ange gardien l'avait encore suivi. Il finissait par y prendre goût.

*

Cette fois, Petit Oncle ne s'était pas trompé dans le calcul du décalage horaire. Pourtant il réveilla quand même Aurel. Il était seize heures et il faisait la sieste.

— Je te dérange ?

Mihna avait pris peur en découvrant sur l'écran le visage bouffi de sommeil de son vieux neveu et ses cheveux en bataille.

— Pas du tout. Vas-y. Tu as du nouveau ?

— Mon ami de Rio est aussi bon pour les enquêtes que pour les coléoptères... Il ne s'occupe plus de vérifier que les steaks sont bien cuits dans sa *churrascaria* et il travaille pour nous jour et nuit.

— Qu'est-ce qu'il a découvert ?

Aurel entendit une explosion et vit réapparaître sur l'écran un Petit Oncle qui se mouchait bruyamment.

— Excuse-moi. J'ai pris un chaud-froid ce matin en me mettant dans le rouge avec des haltères à cent kilos.

— C'est tout naturel, approuva Aurel qui avait mal au dos dès qu'il rapportait deux bouteilles de blanc en les tenant à bout de bras. Donc ?

— Donc, ton ambassadeur ne s'est pas seulement contenté de mener la grande vie à Rio. Il a eu des fréquentations très dangereuses et il a failli le payer cher.

— Des fréquentations... politiques ?

— La politique au Brésil n'existe pas, d'après mon correspondant. C'est l'émanation directe des milieux d'affaires. Et les affaires qu'a touchées Carteyron n'étaient pas les plus recommandables.

— Des mafieux ? Il a eu des relations avec le Milieu ?

— Pas directement. C'est un peu plus compliqué. Le nœud de l'affaire, c'est une amitié.

Une amitié avec un personnage trouble, un certain Engin.

— C'est un nom turc ?

— Oui, le type est turco-brésilien. Il est aussi turco-suisse et turco-américain. À vrai dire, on se demande ce qu'il n'est pas. La seule donnée commune, c'est qu'il est né de parents turcs, émigrés en Europe d'abord puis au Brésil.

— Quel âge ?

— Une petite dizaine d'années de plus que ton ambassadeur.

— Comment se sont-ils connus ?

— On ne sait pas trop de quelle manière tout cela a commencé. Est-ce que Carteyron avait déjà été frappé par le virus de la débauche : dans ce cas, ils se sont peut-être rencontrés dans les milieux de la nuit…

— … Ou bien est-ce que c'est le Turc qui a poussé le Consul général à devenir un flambeur ?

— Voilà ! On ne sait pas. Mais, au fond, qu'est-ce que ça change ? Le fait est qu'une fois tombé dans la folie bien carioca du fric, Carteyron a retrouvé son copain turc partout. Il faut dire que l'individu possédait des cercles de jeu et des bordeaux…

— Bordels.

— Oui, pardon, ici, au Canada, c'est un mot que l'on n'utilise plus, vu que c'est interdit.

— Bref…

— Oui, bref ! En tout cas, cet Engin possédait aussi des discothèques et des restaurants. Carteyron était un habitué de ces établissements. En d'autres termes, le Consul était l'invité permanent et donc le débiteur du patron de boîtes de nuit.

— Ce qui n'a rien d'illégal.

— Non. Mais ce qui était déjà plus limite, c'étaient les cadeaux offerts à votre futur ambassadeur. Outre les ardoises dans les établissements du dénommé Engin, on peut mentionner… sa maîtresse. La belle mulâtre était en effet une employée du Turc. Elle avait commencé dans une de ses maisons de rendez-vous avant de passer au rang enviable d'escort puis d'être « prêtée » de façon permanente, et en quelque sorte officielle, au diplomate français.

— À l'époque, la déontologie du Quai d'Orsay était encore un peu floue, plaida Aurel qui jouait l'avocat du diable.

— Floue ou pas, il est venu un moment où les bornes ont été dépassées.

— De quelle manière ?

— Que ce soit clair : rien n'a jamais été prouvé. Cependant, peu à peu, les rumeurs ont commencé à circuler. Le consul général de France dépensait tellement qu'on lui a d'abord supposé une fortune personnelle. Mais quelqu'un a fini par révéler que le roi était nu, c'est-à-dire que Carteyron n'était l'héritier de rien, même si sa femme venait d'une famille riche. Surtout, il est apparu évident que seul le soutien financier direct d'un partenaire très puissant pouvait assurer à un fonctionnaire français un train de vie de ce niveau. Or, le seul appui de taille qu'on lui connaissait était le Turc.

— Comment avait-il bâti sa fortune, ce Turc, d'ailleurs ?

— Justement. Tout le monde savait qu'il ne l'avait pas acquise par des moyens très recommandables. On disait même qu'il avait commencé comme petit revendeur de drogue dans une favela de Rio appelée la Rocinha et qu'il avait du sang sur les mains.

— Il a été condamné ? Il a fait de la prison ?

— Jamais. Le type est malin.

Aurel était maintenant bien réveillé. Pendant qu'il écoutait Petit Oncle, il réfléchissait à tout ce que ces révélations impliquaient. Et la question centrale qui lui venait, mais elle ne regardait pas Mihna, était : « Comment, avec un tel passé, Carteyron a-t-il tout de même pu être nommé ambassadeur ? »

— Alors, continue, est-ce qu'on a su en échange de quels services le Turc faisait tous ces cadeaux à un petit consul général ? J'imagine que ce n'est pas un philanthrope.

— C'est le cœur de l'affaire. Toutes les suppositions ont eu cours. On a parlé de trafic de visas Schengen, d'utilisation de la valise diplomatique pour faire passer de la drogue, de fourniture de fausses identités pour des mafieux travaillant avec Engin. On a tout dit mais personne n'a jamais rien pu prouver.

— Carteyron était donc si malin que ça ?

— C'est exactement la question que j'ai posée à Ricardo.

— Ricardo ?

— Mon ami restaurateur spécialiste des coléoptères.

— Ah oui ! Et qu'est-ce qu'il en dit ?

— Il formule une autre hypothèse : selon lui, il est possible que le Consul général ait été dénoncé.

— Dénoncé auprès de qui ?

— De l'ambassadeur à Brasilia, ou même du ministère à Paris.

— Qu'est-ce qui lui fait penser ça ?

— D'après lui, Carteyron n'est pas un homme prudent. À cette époque-là surtout, il ne semblait pas se contrôler. Si rien n'a pu être retenu contre lui, ce n'est certainement pas parce qu'il a su se montrer habile. C'est plutôt parce qu'il n'avait pas encore eu l'occasion de commettre une grosse bêtise. Une dénonciation aurait en quelque sorte eu un effet préventif.

— Je croyais qu'il ne pouvait rien refuser à son ami turc.

— Il ne lui donnait que ce que l'autre lui demandait. Et justement, cet Engin n'était pas du genre à abattre ses cartes tout de suite. C'est un homme qui voit très loin. Un joueur d'échecs…

Aurel n'avait jamais compris pourquoi on prêtait aux joueurs d'échecs de telles aptitudes dans la vraie vie. Lui-même pensait être un joueur convenable et il avait enchaîné les choix stupides et les décisions calamiteuses. Il eut la pensée fugace de la soirée qui l'attendait, entre Mylène et les gendarmes, et il se désolait de n'avoir pas su trouver la parade pour l'éviter.

— Engin est capable, comme les plus grands mafieux paraît-il, d'investir sur quelqu'un pendant des années avant de lui demander « le service qu'il ne pourra pas refuser ». Tu te souviens du *Parrain*.

— Tu penses qu'au moment où Carteyron a été rappelé, son compère n'aurait pas encore eu l'occasion de lui demander un service vraiment compromettant ?

— Exactement.

— Pourtant il est resté presque deux ans à Rio.

— Deux années sur son CV. Mais en pratique à peu près un an et demi. Si tu retires les vacances plus le temps de son arrivée et la montée en puissance de ses relations avec Engin, c'est assez rapide.

— Et qui l'aurait dénoncé, d'après toi ?

— On ne le sait pas mais ce n'étaient pas les candidats qui manquaient. Les employés du consulat, les jaloux, les diplomates de passage. Peut-être que l'Ambassadeur lui-même s'est rendu compte de ce qui se passait. Il paraît qu'il va souvent à Rio. Il a même un logement de fonction là-bas. Pour l'instant, je ne peux pas t'en dire plus.

— Bravo, Petit Oncle. C'est un excellent travail.

Mihna eut un bon sourire.

— Encore une chose, ajouta-t-il comme un élève qui n'a pas tout à fait terminé son devoir.

— Oui ?

— Engin a totalement disparu des radars depuis cette histoire.

— Tu veux dire qu'il ne fait plus parler de lui ?

— Non. Il a quitté Rio quelques mois après le Consul général. Personne ne sait où il est allé ni ce qu'il est devenu.

— Tu penses qu'il est mort ?

— Avec des gens comme ça, tout est possible.

Le destin de ce mafieux n'intéressait pas Aurel en lui-même mais seulement dans son rapport avec Carteyron. Il en savait assez sur ce sujet et le mystère de sa disparition ne retint pas davantage son attention.

— Vraiment, je te félicite, Mihna. Et tu remercieras beaucoup ton ami Ricardo.

— Je vais lui dire. Il sera très honoré. Je lui ai souvent parlé de toi, neveu. Il t'admire beaucoup.

Aurel raccrocha, plein du plaisir de savoir qu'il y avait au moins une personne en ce monde qui lui vouait pareille considération. Il en avait les larmes aux yeux pendant qu'il s'habillait, bien à contrecœur, pour aller animer la soirée de Mylène.

Même s'il savait que le jugement d'un tel public n'avait aucune importance, il ne pouvait s'empêcher de se préparer comme pour un concert au Carnegie Hall. Il prit une douche et plaqua soigneusement ses cheveux sur son crâne. Il se gargarisa avec un antiseptique pour avoir une bonne haleine quand il chanterait, se coupa les ongles des mains et même des pieds. Puis il revêtit ce qu'il appelait son costume de scène, un smoking hors d'âge dont le tissu, au dos et à l'entrecuisse, était si mûr qu'il évitait tout geste brutal de peur de le faire craquer par accident. Il attacha enfin au-dessus de sa chemise à plastron un nœud papillon tout fait qu'il caressa avec reconnaissance en pensant aux petites bêtes de ce cher Mihna.

Il enfila un manteau en feutre à col d'astrakan. La fourrure était trop mitée pour un usage en journée mais la nuit, les trous se confondaient avec les boucles de la fourrure.

Il eut la petite fierté de constater dans la rue que, même après le coucher du soleil, sa garde rapprochée était toujours là.

L'avenue qui longe les remparts et contourne la citadelle était trempée par une pluie tombée l'après-midi. L'air humide sentait la ville, ce qui étonnait Aurel depuis qu'il était sorti de Bakou et avait vu la cité ceinturée par le désert et la mer.

Il parvint à l'adresse où devait se tenir la fête. Il composa le code et le portail en fer forgé, tout à fait semblable à ceux de Paris, s'ouvrit sur un hall aux murs ornés de moulures. Il faillit faire signe à son ange gardien de se joindre aux réjouissances mais cela aurait certainement valu des ennuis au pauvre bougre. Il eut la charité de paraître ne pas l'avoir remarqué.

Il fut accueilli par Jacline qu'il reconnut à peine. Elle s'était teint les cheveux en noir et les avait frisés en rouleaux épais. Ils la faisaient ressembler au célèbre portrait de La Bruyère qui figurait en tête de l'exemplaire qu'Aurel emportait toujours avec lui.

Il retira son manteau et la suivit à l'étage. C'était là que l'attendaient les convives, debout, un verre de mousseux à la main. Mylène qui pérorait au milieu d'un groupe, en le voyant paraître, s'immobilisa comme un chien d'arrêt devant lequel on vient d'abattre un colvert.

— Voilà notre artiste ! s'écria-t-elle quand elle eut recouvré ses moyens. Qu'il est beau ! Regardez-moi ça...

Des applaudissements fusèrent, des murmures admiratifs s'élevèrent, au milieu desquels Aurel nota quelques rires.

— Un verre pour le virtuose, cria Jacline.

Quelqu'un tendit une flûte à Aurel. Il trinqua à la cantonade puis avala d'un trait le liquide tiède, pour se donner du courage.

— Et maintenant, place à la musique !

Mylène saisit délicatement la main gauche d'Aurel par le bout des doigts et la souleva en un geste gracieux qui rappelait vaguement les danses de cour du Grand Siècle. Le public s'écarta et laissa passer le couple. Mylène déposa son cavalier devant un piano d'étude en contreplaqué qui servait aux enfants de la maison pour apprendre le solfège.

— Maestro !

Aurel s'attendait à ce que ce soit difficile. Tout de même, ils avaient mis la barre très haut et il se demanda par où commencer. En voyant les touches ébréchées sur lesquelles les gamins avaient laissé des traces poisseuses, il se dit qu'il était inutile de se lancer dans une pièce de Liszt ou de Schubert. Dans ces cas-là, il convoquait ses vieux souvenirs de pianiste de bar et il massacrait un Rag avec une bonne humeur qui gagnait tout de suite l'assistance.

L'instrument était encore pire que ce qu'il avait imaginé. Mais personne, à part lui, ne semblait s'en apercevoir. Rapidement, il n'y prêta plus attention et se laissa aller au plaisir de jouer. Les convives reprenaient les airs en chœur et la voix grave de Jean-Louis, le gendarme, dominait les autres.

Aurel enchaîna tout un répertoire qu'il croyait avoir oublié à jamais. Mais les notes revenaient et, avec elles, les refrains, quelques couplets, le reste comblé par les « la, la, la » qui ne choquaient personne.

Venait toujours un moment où, épuisé d'avoir braillé, il passait à des mélodies plus apaisées, des chansons romantiques. Il venait d'attaquer *mezza voce Ma solitude* quand il crut avoir rêvé. Il continua de chanter, concentré sur ses perceptions. Mais non, il ne rêvait pas. Mylène s'était placée derrière lui. Elle avait posé une main sur son épaule et, avec le bord du petit doigt, caressait délicatement son cou, juste au-dessus du rebord jauni de la chemise.

Aurel déglutit avec difficulté puis fit traîner la partie instrumentale, faute de retrouver les paroles du refrain.

— C'est beau, souffla Mylène à son oreille, d'une voix rauque où Aurel reconnut sans peine les accents du désir. Continue.

Il enchaîna ainsi plusieurs morceaux sous la menace d'une sensualité qui le laissait désarmé.

L'assistance, sans en démêler la cause, nota qu'Aurel multipliait les fausses notes et plusieurs voix s'élevèrent pour demander qu'on le laissât se reposer.

— C'est une bonne idée, concéda Mylène.

Hélas, au moment où Aurel se croyait ainsi délivré, elle ajouta :

— On va mettre de la musique et on va danser.

Tout était prévu pour prendre le relais du piano et un D.J. invisible lança un vieux rock'n'roll sur la sono.

— Allez, venez, brailla Mylène. Ouvrons le bal. Vous avez bien mérité cet honneur, cher Aurel.

Aussitôt elle le saisit et l'entraîna sur la piste improvisée au milieu des convives. Il était évident qu'Aurel ne savait pas danser, mais sa cavalière était si déterminée, elle agrippait ses mains avec tant de force qu'il avait l'impression d'être comme une marionnette japonaise au bout de ses baguettes. Comme c'était à prévoir, il sentit la couture de sa veste céder au milieu du dos. À la fin du morceau, Jacline, qui avait remarqué l'incident, l'aida à la retirer. Étourdi, il accepta, avant de comprendre qu'il se retrouvait encore plus vulnérable en chemise. Quand Mylène s'empara de nouveau de lui pour danser un slow, Aurel sentit la poitrine ferme de sa partenaire s'appuyer sur sa peau presque nue. Il en ressentit une émotion qui tenait plus de la panique que du désir.

— Je te sens épuisé, mon pauvre chéri, souffla Mylène à son oreille.

Elle ne relâchait pas son étreinte pour autant et même, lui semblait-il, la renforçait, de peur sans doute qu'il ne s'écoule mollement jusqu'au sol comme l'aligot de son pays.

— Il y a trop de monde, tu ne trouves pas ?

Aurel, à cet instant, se sentait disposé à livrer tout un réseau à la Gestapo, pourvu qu'on le laissât s'enfuir.

— On refera ça chez moi. Rien que pour nous deux. Qu'est-ce que tu en dis ?

Pour lui montrer qu'elle n'attendait pas de réponse, Mylène accentua sur lui la pression de ses bonnets armés de baleines. Il émit un râle.

— N'attendons pas trop, souffla-t-elle. Je ne tiendrai pas longtemps.

Aurel la sentit rire. De petits hoquets cha-touillèrent son thorax.

— Disons ce week-end. Samedi soir, hein ?

Il n'eut pas le souvenir d'avoir répondu. Pour-tant le lendemain, quand il la rencontra dans le couloir, Mylène lui confirma son engagement.

Il faut dire qu'il ne se rappelait pas vraiment comment s'était terminée la soirée. Il avait bu plusieurs verres coup sur coup, après que Mylène l'avait enfin relâché. Ensuite, il gardait vague-ment l'image de Jean-Louis le déposant dans sa voiture et le reconduisant chez lui.

Quoi qu'il en fût, le matin, il s'était réveillé dans son lit et son premier soin avait été de véri-fier qu'il était bien seul.

IX

La sonnerie rauque du téléphone fixe éveilla
Aurel en sursaut. Il regarda le réveil et vit qu'il
était huit heures moins le quart. Vêtu de sa seule
chemise à plastron, le nœud papillon flottant
libre sur son cou comme un collier de soie, il
tituba jusqu'au salon. Ses jambes nues étaient
encore flageolantes et le carrelage froid lui
engourdissait les pieds.

— Vite, haleta Amélie au bout du fil. Je vous
envoie le chauffeur. Le sénateur Gauvinier et ses
collègues vous attendent au Fairmont.

— Comment cela, « m'attendent » ? Mais
pour quoi faire ?

— On leur a fait tout un programme de visite
des monuments de la ville à partir de deux heures.
Gauvinier veut absolument que ce soit vous qui
les accompagniez. Il en a parlé aux deux autres et
c'est toute la délégation qui vous demande.

Aurel commençait à regretter de ne pas avoir choisi tout simplement de travailler comme tout le monde aux heures de bureau. À force de vouloir suivre des chemins de traverse, il se retrouvait à enchaîner des galères jour et nuit.

— D'accord, grogna-t-il. Combien de temps me laissez-vous ?

— Mais cinq minutes. Pas plus, ils sont déjà dans le hall de l'hôtel.

— Entendu.

Aurel raccrocha et resta un long instant pétrifié, à contempler le décor autour de lui sans bien savoir où il était. Soudain, en se passant la main sur le menton, il fut envahi par le parfum lourd de Mylène qui s'était incrusté dans sa peau. La soirée lui revint et il eut un haut-le-cœur. Il lui fallait un café. Faute de temps pour le préparer avec la machine compliquée héritée de son prédécesseur, il saisit une bouteille de blanc entamée et s'en versa un grand verre.

Il se dirigea vers sa penderie et prit le premier pantalon venu. C'était une salopette en jean. Il la passa, fourra dedans les pans de sa chemise de soirée et enfila les bretelles. Au moins, pensa-t-il, la question toujours délicate de la ceinture était réglée. Il tira une veste au hasard, un blazer de yachting à boutons dorés qu'il aimait porter au printemps. Par association d'idées, il pensa qu'il aurait froid et il saisit un gilet en laine rouge cirque, sans forme. Il l'enfila par-dessus le blazer, tout en ayant vaguement conscience qu'il ne faisait pas les choses dans le bon ordre.

La sonnerie du téléphone retentit à nouveau. Ce devait être le chauffeur qui annonçait son arrivée. Il ne répondit pas et l'appel cessa. Il se hâta de compléter son équipement en chaussant une paire de bottes en caoutchouc qu'il avait achetée à Venise vingt ans plus tôt, pour affronter l'*acqua alta*. C'était le premier voyage qu'il effectuait avec celle qui allait devenir sa femme. Il ne savait trop comment se déclarer mais à Venise, il avait abattu toutes ses cartes, et elle avait dit oui. Il pensait souvent à son divorce, deux ans plus tard, mais rarement à ces premiers moments. Il soupira. Le grelot infernal du téléphone le tira de sa rêverie. C'était le chauffeur qui le prévenait de son arrivée au pied de l'immeuble. Aurel saisit son manteau en laine kaki et descendit par l'escalier. Sans prendre le temps de l'enfiler, il s'engouffra dans la voiture qui l'attendait devant chez lui.

Pendant le trajet vers les tours du feu, ses sens mal éveillés laissèrent son esprit flotter librement. C'est à ces heures-là que lui venaient en général les meilleures idées. À cet instant, il repensait à sa dernière conversation avec Amélie et au parallélisme qu'il avait noté entre le comportement de Carteyron à Rio et celui qu'il avait adopté à Bakou. Une question trop rapidement évoquée lui paraissait soudain centrale : l'ambassadeur avait-il aussi une maîtresse en Azerbaïdjan ? Il lui fallait absolument le découvrir et s'il n'avait pas été occupé ce matin par ces bougres de sénateurs, il s'y serait attelé tout de suite.

Il les aperçut bientôt qui battaient la semelle devant l'hôtel. Des exclamations de joie retentirent quand ils virent Aurel descendre de sa limousine noire. Gauvinier lui saisit amicalement le bras et le tira pour le présenter à ses collègues. Ceux qui ne le connaissaient pas regardèrent son accoutrement avec une surprise impossible à dissimuler. Mais l'élu du Tarn, passant son bras derrière les épaules d'Aurel, claironna de sa voix forte qui faisait rouler des rochers :

— Je ne vous l'avais pas dit que c'était un phénomène ! Ah, sacré Aurel ! Tu vas t'occuper de nous autres aujourd'hui, pas vrai ? Tu ne vas plus nous lâcher pour qu'on s'emmerde pas comme hier soir dans ce foutu dîner officiel ? Tu me le jures ?

Aurel serra les mains qu'on lui tendait.

— Au fait, s'écria Gauvinier. J'ai une bonne nouvelle. J'ai fait venir le directeur de l'hôtel.

C'est un Français, figure-toi, comme le chef, d'ailleurs. Eh bien, je te l'annonce, c'est acquis : tu as le droit de jouer sur le piano de la Guerre des Étoiles, celui qui est dans le hall. Tiens, on va régler ça tout de suite avant de partir.

Ils rentrèrent tous dans l'hôtel en se faufilant dans la porte à tambour. Le sénateur avisa un homme en costume sombre qui circulait derrière le comptoir.

— Le directeur est encore là ? On va lui parler.

Le directeur approcha. C'était un petit personnage dont la bouche était tordue par un rictus de mépris mais qui pouvait tout aussi bien, comme en cet instant, se transformer en un sourire obséquieux.

— Voilà la personne dont je vous ai parlé. C'est un virtuose.

Gauvinier donnait à ce mot, prononcé avec l'accent, la solennité antique d'un mois révolutionnaire, comme s'il avait annoncé « ventôse » ou « nivôse ».

Le directeur braqua ses petits yeux sur Aurel et le détailla de la tête aux pieds. Il n'était que trop évident que, s'il se fût agi d'un membre de son personnel, il l'aurait immédiatement flanqué à la porte. Mais sa voix aigre contredit opportunément son expression et il susurra sur un ton affable :

— Monsieur peut venir jouer quand il le veut. C'est un instrument exceptionnel. Nous serons honorés qu'il l'utilise. Nous ne pouvons pas le permettre à tout le monde, vous devez le comprendre. Il vaut plus de cent mille euros. Pour l'accorder, le fabricant envoie un technicien d'Italie une fois par an, muni de clefs spéciales…

— Ne vous inquiétez pas. Aurel va le caresser comme une poupée gonflable, votre piano.

— Je n'en doute pas. Il faudra tout de même éviter…

Le directeur, d'un petit geste du menton, montrait les bottes d'égoutier.

— Ah, oui ! Ça ! déclama le sénateur. Rassurez-vous : il ne jouera pas avec les pieds.

Sur cette réplique théâtrale, ils firent une sortie majestueuse l'un après l'autre par la porte à tambour. Aurel, à qui le vin blanc donnait un peu le vertige, fit deux tours avant d'être éjecté du bon côté.

Ils montèrent dans la limousine, Gauvinier devant à cause de sa corpulence et Aurel serré derrière entre les deux autres sénateurs. Puis ils partirent pour un tour de la ville.

Ils firent la plus grande partie de la visite en voiture. Devant certains monuments, comme la mystérieuse tour de la Vierge, ils sortirent prendre des photos.

— Déjà la pédophilie ! avait commenté Gauvinier en entendant l'histoire de cette fille de roi
qui, pour échapper aux désirs incestueux de son
propre père, avait exigé de lui qu'il bâtisse cette
tour. On prétend que, quand elle fut assez haute,
elle se précipita depuis son sommet.

Un peu plus tard, au palais médiéval des Chirvanchahs, Aurel confia la délégation à des guides
du monument. Cela lui laissait une petite heure.
En prévision de ce moment de liberté, il avait
emprunté un instant le portable du chauffeur
pour appeler l'ambassade et avait demandé à
parler à Layla. Il lui avait donné rendez-vous
dans le petit café situé à l'intérieur du palais. Il
abritait également un rayon pour touristes, où
l'on vendait des tapis et des objets en cuivre
ciselé.

Aurel trouva Layla qui l'attendait calée sur des
coussins. Layla ne put cacher son étonnement
lorsqu'elle découvrit son accoutrement. Elle ne le
connaissait pas si bien et se demanda un instant
s'il n'était pas complètement fou.

— C'est vraiment gentil d'être venue,
bredouilla-t-il.

Il n'avait pas anticipé ce que ce rendez-vous
discret pouvait avoir d'ambigu et se sentit tout à
coup un peu gêné. Il exposa vite le motif de cet
entretien.

— Voilà, Layla, je sais que vous êtes très discrète et aussi que vous ne voulez rien faire qui puisse compromettre votre poste à l'ambassade...

Cette entrée en matière ne rassurait pas la jeune Azérie. Aurel vit un pli soucieux se dessiner entre ses sourcils.

— J'exposerai le fait directement, si vous permettez. Voilà, vous et votre sœur travaillez la nuit. Vous connaissez tous les endroits où l'on s'amuse. Nous supposons que vous y voyez passer pas mal de monde et que vous en savez long sur beaucoup de gens...

— Pardon, mais quand vous dites « nous supposons», de qui s'agit-il ?

— Eh bien, de ceux qui pensent... que se sont passées ici des choses, disons, inquiétantes.

Comme Layla ne semblait pas comprendre, il se jeta à l'eau.

— En un mot, que l'Ambassadrice n'est pas morte par accident.

Il attendit anxieusement la réaction de la jeune femme. Ses yeux noirs regardaient dans le vide et elle semblait en proie à une émotion intense. Soudain, elle tourna la tête vers Aurel. Le pli soucieux avait disparu de son front et elle souriait.

— J'ai tout de suite pensé ça, moi aussi, souffla-t-elle. Que puis-je faire pour vous aider ?

— Merci, s'écria Aurel, en lui prenant les mains.

— Qui est dans la confidence ?

— La Consule et moi-même.

— C'est tout ?

— Oui.

Layla rougit un peu, comme si elle était émue par l'honneur qu'ils lui faisaient d'entrer dans un cercle aussi restreint.

— Je vous écoute, confia-t-elle enfin.

Aurel se redressa et parla d'une voix basse qu'assourdissaient encore les kilims pendus sur les murs de pierre.

— Nous avons besoin de savoir si l'ambassadeur entretient ici… comment le dire simplement ?

— Une maîtresse.

— Voilà !

Elle réfléchit un long moment.

— Nous en avons parlé souvent avec ma sœur. C'est surtout elle qui les a vus. Ils sortent plutôt en discothèque. Mais je les ai aperçus quelques fois dans les restaurants où je jouais. Ils ne m'ont pas reconnue parce que je travaille très maquillée et que je mets une perruque blonde.

Elle ajouta en rougissant :

— On a beaucoup de clients du Golfe et c'est ça qu'ils aiment.

— D'après vous, il s'agit toujours de la même femme ou ce sont des compagnes différentes ?

— Longtemps, il est venu avec des femmes différentes. Mais depuis quelques mois, c'est toujours la même. Ma sœur aussi en est certaine.

— Vous savez qui c'est ?

— Non. C'est une professionnelle, il n'y a pas de doute.

— Une prostituée ?

— Plutôt une femme entretenue par plusieurs hommes. Ce que Maupassant appelle une « cocotte », n'est-ce pas ?

Layla avait appris le français à l'Alliance et, malgré son air modeste, elle était fière de faire étalage d'une référence littéraire.

— C'est tout à fait correct. Bravo ! Et cette femme, dites-moi, elle vient de Bakou ?

— Je ne crois pas. Tout le monde se connaît ici. Ma sœur m'a dit qu'une fois elle lui a adressé quelques mots. Elle pense que c'est une Azérie d'Iran. Ils ont un accent différent du nôtre.

Une province du nord de l'Iran porte le nom d'Azerbaïdjan. Elle est peuplée de turcophones que les aléas de l'Histoire ont détachés de leur groupe et agrégés au territoire perse. Nombre d'entre eux fuient l'Iran et se réfugient en Azer-baïdjan où ils espèrent, souvent à tort, trouver une vie meilleure.

— À quoi ressemble-t-elle physiquement ?

— Une grande femme, imposante à vrai dire. Elle me dépasse d'une tête. Et, comment dire ?... Tout est en proportion chez elle : sa poitrine, etc.

— Maquillée ?

— Très.

Aurel hocha la tête. Carteyron recherchait tou-jours le même type de femmes comme maîtresses ; le contraire de Marie-Virginie, en somme.

— Pensez-vous qu'ils se voient encore aujour-d'hui. Je veux dire... depuis la mort de Marie-Virginie de Carteyron ?

— Monsieur l'Ambassadeur sort moins depuis son retour de France. Et, d'après ma sœur, on ne le voit plus en boîte. Je pense qu'il tient à montrer qu'il est en deuil. C'est important ici. Les gens respectent ça. En revanche...

Elle baissa les yeux, consciente sans doute que son témoignage pouvait avoir de graves consé-quences.

— En revanche ... ?

— Je les ai vus il y a deux jours dans un res-taurant.

— Lequel ?

— C'est un établissement récent, assez branché, qui a été ouvert par des Russes en bord de mer, à la sortie de la ville.

— Vous les avez observés ? Comment se tenaient-ils ?

— Décemment. Mais on voyait bien que ce n'était pas... seulement des amis. Ils ne se cachaient pas, d'ailleurs, et ce restaurant est plein d'officiels, de gens sérieux. Emmener une femme là-bas, c'est s'afficher clairement avec elle.

— Et ça, un veuf peut se le permettre ?

— Oui. Ce qui est mal vu, c'est de s'amuser. Mais on sait bien qu'un homme ne peut rester seul...

À l'évocation de ces besoins physiques, Aurel se troubla. Il toussa et se pencha pour lire l'heure au poignet de Layla.

— Pardonnez-moi ! Il faut que j'aille récupérer ma délégation. Merci pour ces informations et soyez sans crainte. Cette conversation n'a jamais eu lieu.

*

De nouveau coincé à l'arrière de la limousine, Aurel proposa aux sénateurs de le déposer en ville avant de se rendre au déjeuner organisé en leur honneur par l'Ambassadeur.

— Quoi ! Vous ne voulez pas venir avec nous...

— Non, non, monsieur le Sénateur, je ne suis pas invité.

— Comment, pas invité ? tonna Gauvinier. Je voudrais bien voir ça.

Et il ordonna au chauffeur de les mener directement à l'ambassade. Ils entrèrent dans le bâtiment, en encadrant toujours leur otage. Puis ils enfilèrent l'escalier d'honneur. De la boue séchée, vestige de la dernière pluie, se détachait des bottes en caoutchouc d'Aurel. Sur le velours rouge qui couvrait les marches, il semait de petites laissées, semblables à celles des renards.

Il n'eut pas longtemps le loisir de s'en préoccuper car, à peine arrivé sur le palier, il vit l'Ambassadeur fondre sur lui. Il le dévisagea de la tête aux pieds et Aurel prit soudain conscience qu'il avait toujours sa salopette, son pull par-dessus le blazer et surtout ses bottes qui, quand il dansait d'un pied sur l'autre, émettaient un bruit de ventouse. Bien qu'il les eût longuement frottées au savon, ses mains étaient encore colorées par le henné.

— Qu'est-ce que vous faites ici, vous ? susurra Carteyron entre ses dents, espérant ne pas être entendu des sénateurs. Je vous ai pourtant demandé...

— Monsieur Aurel est notre ange gardien, claironna Gauvinier.

Prenant Aurel par l'épaule, il fit mine de le protéger.

— Il n'est pas question que nous nous en séparions. C'est un agent de toute première force et vous avez beaucoup de chance de le compter dans votre équipe.

— Mais certainement ! Vous avez parfaitement raison, monsieur le Sénateur, capitula l'Ambassadeur.

Puis, pour transformer cette déroute en victoire, il ajouta, avec un air suave :

— Pourquoi donc croyez-vous que je vous ai confiés à ses bons soins ?

— Tout est pour le mieux alors.

Ayant dit, Gauvinier, le ventre en avant, ouvrit la route jusqu'à la salle à manger d'apparat. Autour de la longue table étaient disposés une vingtaine de couverts. Aurel nota que, sur un signe de Carteyron au maître d'hôtel, les serveurs étaient en train d'en ajouter un de plus pour lui au bas-bout.

Les autres convives étaient déjà présents, debout derrière leur chaise. L'Ambassadeur fit les présentations. Aurel reconnut les deux francophones de service, un professeur à l'Université et un médecin qui avait étudié la dermatologie à l'hôpital Tarnier de Paris. La présence indéfectible de ces deux uniques spécimens était bienvenue pour les ambassadeurs successifs. Elle les autorisait à débiter un petit couplet sur l'attachement de l'Azerbaïdjan à la culture française et, contre toute vraisemblance, sur la vitalité de notre langue dans ce pays. Accessoirement, cela permettait aux sénateurs, à côté de qui ces deux polyglottes étaient assis, de converser sans avoir à chercher, parmi les cinquante mots d'anglais qu'ils connaissaient, les instruments nécessaires à l'expression de leur pensée subtile. Trois autres Azéris figuraient parmi les invités : un représentant du ministère de l'Industrie, un chef d'entreprise qui opérait dans le secteur gazier et enfin une des directrices du ministère des Finances.

Le reste des convives étaient des membres de l'ambassade parmi lesquels Amélie, le deuxième conseiller et l'homme des services secrets que l'on reconnaissait grâce à ses lunettes noires.

Le déjeuner se déroula sans incident notable. L'Ambassadeur fit un petit discours de bienvenue à l'adresse des sénateurs. Puis la conversation se déploya spontanément, au gré des plats servis et des affinités entre voisins de table. Les vins, français comme il se doit, aidèrent à dissiper les premières gênes. On entendit bientôt retentir, par-dessus les bavardages, le rire puissant de Gauvinier et ses exclamations gasconnes.

Aurel, isolé sur son bout de table, passa le déjeuner à observer intensément l'Ambassadeur sur lequel il avait une vue directe. Il n'avait eu que de brèves occasions de le rencontrer. La pre-mière fois, c'était pour se faire mettre à la porte et la seconde, pour assister à une réunion de ser-vice en cherchant à se faire oublier derrière un gendarme.

Cette fois, il avait le diplomate sous sa loupe, comme un entomologiste, et il pouvait en distin-guer chaque détail. Ce qui le frappa au cours de cette observation attentive, ce fut l'extraordinaire plasticité de Carteyron. Il l'avait vu courroucé dans son bureau, méprisant pendant la réunion de service. Il le découvrait maintenant d'une affabilité extrême, se laissant aller à de petits rires au moindre bon mot de ses hôtes qui, pourtant, n'en produisaient guère. Il adressait à tous ceux qu'il considérait comme importants autour de la table des regards où l'on pouvait lire le respect, bien sûr, l'admiration, que nul n'en doute, et même, pour qui avait un cœur, l'amour. L'Ambassadeur se disposait d'avance à obéir à tout, à applaudir n'importe quel propos, à approuver les décisions les plus absurdes pourvu qu'ils émanent de la divinité à laquelle, pour toujours, il avait dédié sa vie : l'autorité. Et cela, quelque forme qu'elle prît : le pouvoir politique, la richesse, la supériorité hiérarchique.

Mais que son regard tombât par hasard un instant sur un inférieur, sans pouvoir ni fortune, comme, par exemple, un des agents de son ambassade présents autour de la table, Carteyron reprenait immédiatement une expression de mépris et d'impatience.

Cette mobilité incessante de la mimique expliquait mieux les variations observées sur les photos qu'Aurel avait réunies. Il avait noté, certes, une évolution d'ensemble à travers les années de la physionomie de l'ambassadeur ainsi que des transformations plus spectaculaires, à l'occasion notamment de la crise de folie qu'il avait traversée au Brésil. Mais à cela s'ajoutaient les modulations d'un visage qui accentuaient toutes ces variations et leur donnaient une amplitude visible jusque sur les mauvais clichés tirés de photos de classe.

Ainsi à vingt ans Carteyron avait-il sans doute été un élève excessivement soumis, terrorisé par ses professeurs, comme en témoignait son regard de gibier traqué. Ensuite, jeune marié, il s'était tout entier livré à l'adoration de son nouveau milieu. Le diplomate frais émoulu avait ensuite bu le calice amer de l'humiliation sans en laisser échapper une goutte et la souffrance se lisait dans ses yeux voilés par la soumission. Mais quand, à Rio, il avait cru tenir sa revanche, quand il s'était enfin senti détenteur à son tour de l'argent et de la reconnaissance dont il avait jusque-là manqué, il avait dû lâcher la bride à son arrogance. Il était redevenu l'enfant adulé par sa mère qui pouvait tout exiger. Ses mimiques suffisantes, méchantes parfois, en étaient le signe.

Tout cela corroborait ce qu'Aurel avait appris. Mais il restait une inconnue, à laquelle il se prit à rêver pendant qu'on servait le café à table : pourquoi, après l'épisode brésilien, Carteyron était-il redevenu si aimable, si tendre et, on aurait presque pu dire, si reconnaissant quand il était avec sa femme ? Pendant la période où on les voyait à Paris et avant que, de nouveau, une crise survienne après leur arrivée en Azerbaïdjan, Aurel avait remarqué sur les photos que les deux conjoints avaient l'air en bonne entente. Celui qui n'était encore que le conseiller d'un ministre s'appliquait à témoigner à sa femme son amour et sa reconnaissance. Mais reconnaissance de quoi ?

Aurel en était là de ses pensées quand il se rendit compte que tout le monde était debout. Amélie, en passant près de lui, lui tapota l'épaule pour le réveiller et, d'un geste du menton, lui fit signe de passer la voir.

Il la rejoignit dans son bureau. Elle avait enfilé son manteau.

— C'est trop sérieux, lâcha-t-elle. On ne peut plus parler ici. Il faut qu'on fasse un point tout de suite avec ce que je viens d'apprendre. Rendez-vous dans une demi-heure au restaurant de l'Intourist.

— D'accord. Quand même, je dois vous dire tout de suite...

Amélie avait déjà la main sur la poignée de la porte.

— ... que j'ai mis Layla dans la confidence.

— Je sais, elle est passée me voir. Je lui ai dit de nous rejoindre aussi.

Sur ces mots, elle disparut dans le couloir.

*

Que penser de l'hôtel Intourist ? Aurel était partagé. D'un côté, il était attendri par ce vestige d'une époque révolue, celle du communisme sous influence soviétique.

Avec ses balcons en béton, ses formes géométriques et ses couloirs rectilignes et sinistres, cet ancien hôtel des cadres du Parti avait pour Aurel le charme des jours anciens. En même temps, une vigoureuse restauration avait eu raison des ampoules nues, des voilages déchirés et des carreaux brisés. Un luxe contemporain dédiait l'endroit au futurisme des années 20, en l'édulcorant de son héritage totalitaire. En d'autres termes, l'établissement était devenu banal, ni neuf ni vieux, ni vraiment désuet ni tout à fait contemporain.

Le seul avantage, qui l'avait fait choisir à Amélie comme lieu de conspiration, était l'acoustique épouvantable de la salle de restaurant. Par une de ces ironies dont l'Histoire est prodigue, l'hôtel, où naguère toutes les conversations étaient écoutées, avait pour caractéristique désormais qu'on ne s'y entendait plus dès qu'il y avait du monde, même assis l'un en face de l'autre. On pouvait être certain, si on avait quelque chose de secret à confier, que personne aux environs ne pourrait en entendre un mot.

Aurel avait pris pour venir un taxi londonien, mauve comme il se doit et un peu poussif. La Consule était arrivée plus rapidement avec sa voiture. Elle attendait devant un café-crème.

— Que se passe-t-il ? s'enquit Aurel. Qu'avez-vous appris ?

— Le tableau se complète. J'avais lancé plusieurs lignes à l'eau et en les remontant, j'ai fait une grosse prise.

Un groupe de touristes chinois venait de faire irruption dans le restaurant, apportant une forte cargaison de décibels et la certitude absolue que les conversations seraient inaudibles. Amélie toussa pour s'éclaircir la gorge.

— Notre client est sous influence, hurla-t-elle.

— Notre client ? Ah, oui, je vois. L'influence de qui ?

— Apparemment, quand il s'absente, il va voir un Azéri richissime, un oligarque d'ici. Ils se retrouvent dans une de ses propriétés. Il en a un peu partout. C'est à lui qu'il devrait la nouvelle accélération de son niveau de vie. C'est aussi par lui qu'il aurait rencontré sa copine et qu'il se procurerait les moyens pour l'entretenir.

— Le même scénario qu'au Brésil, en somme.

Aurel jugea qu'il n'était plus possible de garder pour lui les révélations de Petit Oncle. Il en fit une synthèse assez détaillée à Amélie. Il lui présenta surtout l'affaire Engin, et le train de vie de débauché que cette amitié avait permis à Carteyron de financer.

— On voit que les années ont passé, commenta Amélie. L'intéressé est devenu plus prudent. Ses excès sont moins visibles. Et son protecteur en Azerbaïdjan est aussi quelqu'un de moins sulfureux.

— Que fait-il dans la vie ?

— Il est dans les affaires. Je crois savoir qu'il a fait fortune à l'étranger et qu'il a tout réinvesti ici récemment.

— Dans quel secteur ?

— Honnête. Enfin, en apparence... Le pétrole, le BTP, l'import-export sur de grands contrats. Il représente de grosses boîtes américaines comme Boeing, Exxon-Mobil, Coca-Cola.

— C'est mieux qu'un maquereau turc au Brésil.

Au moment où Amélie émit un petit rire, tout le groupe des Chinois s'esclaffa bruyamment, comme si elle avait joué devant un public. Aurel restait muet. Il avait l'air pensif.

— Qu'est-ce que ça vous inspire ? demanda-t-elle.

— J'ai bien observé Carteyron pendant ce déjeuner.

— Et alors ?

— C'est un homme qui a peur.

— Comme sa femme ?

— Non. Elle avait peur à un moment donné, et sans doute pour une raison précise que nous ignorons. Lui a peur de tout depuis toujours.

— Vous voulez dire que c'est un lâche ?

— Un faible. C'est difficile à croire parce qu'il fait tout pour qu'on le croie fort. En réalité, il est seulement brutal.

Il y avait une bousculade comique autour des plats chauds alignés sur le buffet. Plusieurs touristes émettaient des protestations, en brandissant leur assiette vide.

— C'est un faible, reprit Aurel et il a toujours cédé à la force. Il suffit de le voir faire des grâces aux sénateurs. Il évalue exactement le poids social de ses interlocuteurs et il adapte son attitude en fonction.

— Pardon, mais je ne vois toujours pas où vous voulez en venir.

Aurel se pencha au-dessus de la table et son nœud papillon qui flottait toujours autour de son cou vint tremper dans sa tasse.

— C'est pourtant simple. La personne dont il a toujours eu le plus peur, c'était sa femme. Il l'avait épousée parce que sa mère lui en avait donné l'ordre. Elle voulait pour lui un destin brillant. Elle voulait qu'il la venge de son père qui, malgré son nom aristocratique, n'était qu'un domestique et un raté.

Amélie écoutait les yeux dans le vague, en faisant tourner un reste de café au fond de sa tasse en porcelaine.

— Elle a dû le regretter par la suite. D'après ce qu'elle m'a dit, Marie-Virginie a tout fait pour détacher son mari de sa mère et elle en est morte de rage.

— C'est possible. Mais en attendant, le petit Gilles a d'abord obéi à sa mère : il a réussi à séduire Marie-Virginie, en s'aplatissant, en attendant son heure, en étant là au bon moment. Il était terrorisé par ce qu'elle représentait, par son milieu, par sa volonté, son intelligence, sa lucidité. Il s'est soumis à cette force. Elle lui pesait mais il en avait besoin, elle le rassurait. Et puis, un jour, il a fait la connaissance d'un homme puissant et il s'est senti assez fort pour se libérer. Il a voulu montrer que désormais l'argent, c'était lui, que le pouvoir, c'était lui. Que la liberté, il pouvait la prendre.

— Vous parlez du Brésil ?

— Oui, de Rio. Où tout cela se serait-il arrêté ? Nul ne le sait. Heureusement, ou malheureusement, il a été rappelé et tout s'est effondré. Il est rentré à la niche. Et voilà qu'ici, tout recommence. Parce que, de nouveau, il s'est senti soutenu par un puissant...

À cet instant, Layla apparut dans l'entrée et Amélie lui fit signe de les rejoindre. Elle ôta son manteau et approcha une chaise.

— Si je résume, dit Aurel à l'adresse de Layla, je dirai ceci : notre bien-aimé patron ne peut s'opposer à la force que quand il sent derrière lui l'appui d'une force plus grande encore. Ses complexes, ses frustrations, sa volonté de revanche à l'égard de sa femme n'ont pu s'exprimer que deux fois : à Rio parce qu'il avait le soutien d'un mafieux, mais il n'a pas pu aller jusqu'au bout. Et ici parce qu'il avait l'appui d'un oligarque. Jusqu'où a-t-il poussé cette fois sa vengeance ? Nous l'ignorons. Mais Marie-Virginie est morte.

— Vous pensez qu'il serait allé jusque-là ?

Un long silence s'établit entre eux, si on peut appeler silence le brouhaha produit par les touristes chinois qui se levaient tous ensemble pour le dessert.

— Excusez-moi, intervint Layla. Je suis en retard et je n'ai pas tout suivi. De quel oligarque parlez-vous ?

— Un certain Karimov.

Layla se recula et étouffa un cri.

— Nazir Karimov ?

— Lui-même.

Le visage de la jeune Azérie devint soudain livide. Elle se tourna complètement d'un côté puis de l'autre pour vérifier que personne d'autre que les Chinois n'était présent dans la pièce.

— Attention, souffla-t-elle. Ne prononcez plus ce nom. Et surveillez tout ce que vous dites à son propos.

Elle laissa passer un temps puis suggéra :

— Pourquoi ne viendriez-vous pas chez moi ? Là-bas au moins je serai sûre que personne ne nous écoute.

Amélie et Aurel échangèrent un regard.

— Si vous croyez que…

— Oui, coupa Layla en posant une main sur le poignet de la Consule.

— Alors d'accord.

— J'habite dans la vieille ville, juste en dessous du palais des Chirvanchahs. Allons-y séparément et retrouvons-nous dans une demi-heure.

— C'est que je suis toujours suivi, dit Aurel.

— Suivi…

— Surveillé. Une filature.

— Les ruelles de la vieille ville sont commodes pour semer un poursuivant. Je vais vous indiquer comment vous y prendre.

X

Aurel avait d'abord enfilé une petite rue qui s'enfonçait dans la citadelle au niveau des remparts. Quand il eut marché une trentaine de mètres, il se retourna et vit la silhouette de son ange gardien apparaître à l'entrée de la ruelle. Il exécuta alors scrupuleusement le plan décrit par Layla. Parvenu à un coffre qui abritait un transformateur électrique, il accéléra sans courir et arriva bientôt à la hauteur d'une ruelle perpendiculaire. Il tourna à droite et passa devant l'entrée d'une célèbre crêperie tenue par un Français dénommé Maurice. La porte suivante, trois mètres plus loin, était celle de Layla. Il la trouva entrouverte et entra. Comme prévu, celui qui le suivait n'avait pas encore atteint le croisement de ruelles au moment où Aurel refermait la porte. Quand il y parvint, il ne douta pas qu'Aurel était entré dans la crêperie. Il se posta un peu plus loin et attendit.

La maison de Layla était à l'origine une casine turque construite au XVIᵉ siècle. Elle ouvrait sur une cour aveugle qu'on hésitait à appeler puits de lumière, tant elle était sombre. Le logement lui-même se composait au rez-de-chaussée d'une petite pièce que mangeait dans un coin un large escalier. D'autres pièces semblables, tout aussi exiguës, étaient empilées sur la première à raison d'une par étage. Les différentes époques avaient laissé leur empreinte dans la décoration. On trouvait des murs en pierre taillée, des lambris de bois du XIXᵉ, des cloisons de contreplaqué. C'était à l'évidence la période communiste qui avait la part la plus belle dans ce bric-à-brac. L'ameublement et les divers instruments de la vie quotidienne portaient la marque de la standardisation soviétique. Un grand samovar en cuivre et quelques tapis en poil de chèvre prétendaient apporter à l'ensemble une touche esthétique, mais sans parvenir à cacher la pauvreté du lieu.

Aurel monta trois étages et trouva Amélie assise sur une banquette tapissée de kilims, en grande conversation avec Layla et une autre fille.

— Je vous présente ma sœur Kadja. Kadja, voici M. Timescu, le Consul adjoint.

Aurel s'inclina et esquissa un baisemain. La sœur de Layla était plus grande ; elle avait des traits nettement caucasiens, un nez en bec d'aigle et dans les yeux un éclat troublant. Elle avait tiré ses cheveux noirs en arrière et les avait regroupés en une natte serrée. Il y avait en elle quelque chose qui tenait de la vestale antique et de la Cruella de Walt Disney. Aurel reconnut immédiatement le type adoré et redouté de ce qu'il appelait la femme admirable.

Il retira son pull puis son blazer et s'affala à son tour sur une banquette. Layla descendit chercher du thé à la cuisine et demanda à sa sœur de commencer à raconter Karimov.

— C'est l'un des hommes les plus craints et les plus dangereux de ce pays.

Kadja avait une voix sombre comme son apparence. Elle devait chanter avec un timbre de ténor et Aurel n'y aurait pas résisté.

— Il est originaire du Nakhichevan.

— Tiens donc ! s'exclama Amélie.

— Il faut savoir que notre peuple est depuis toujours divisé en clans et que ces clans se disputent le pouvoir. L'actuel régime, depuis la sortie de l'URSS et le retour de ce que vous appelez la démocratie, est dominé par un clan du Nakhichevan. Karimov en fait partie.

— Cela veut dire qu'il vit là-bas ?

— Pas du tout ! Il y a peut-être une résidence, comme il en a dans tout le pays. Mais il habite à Bakou.

Layla était remontée en portant sur un plateau à fleurs une théière fumante et quatre petites tasses en faïence bleue de Lomonosov.

— Kadja, intervint-elle, il faut que tu dises aussi que Karimov n'est pas un plouc (c'est bien le mot en français ?) comme beaucoup d'autres membres de son clan. Il est né à l'étranger.

— Et il n'est revenu ici que récemment.

— Quand cela ? sursauta Aurel.

— Je dirais il y a quatre ou cinq ans.

— Et où était-il avant ?

— Un peu partout. À vrai dire on n'en sait rien et personne n'ose poser trop de questions à son propos.

— Pourquoi est-il né à l'étranger ?

— À la période soviétique, beaucoup de gens cherchaient à émigrer. Ses parents étaient pauvres à l'époque. Ils se sont bien débrouillés : ils ont réussi à quitter le pays et se sont réfugiés en Amérique.

— Aux États-Unis, tu crois ? demanda Layla, en regardant sa sœur.

— Il me semble. On m'a dit « en Amérique », mais c'est peut-être en Amérique du Sud. Peu importe. Le fait est que Karimov a fait fortune là-bas. Il est rentré au pays avec beaucoup d'argent et des contacts internationaux précieux.

— Mais pourquoi rentrer s'il était si bien à l'étranger ?

Kadja buvait lentement son thé brûlant. Aurel était fasciné par le pincement sensuel de ses lèvres sur la tasse et ne parvenait pas à détourner les yeux de ce spectacle.

— Les Azéris sont ainsi : ils aiment voyager mais ils reviennent toujours dans leur pays. Il s'est marié ici deux ans après son retour et je me demande s'il n'était pas surtout revenu pour ça.

— Sa femme est azérie ? demanda Amélie.

— Non seulement elle est azérie, mais elle est du même clan que lui. Et surtout, c'est la nièce du président. Avec elle, Karimov est entré dans le premier cercle du pouvoir.

Après avoir terminé sa tasse, Kadja but le thé qui avait débordé dans la soucoupe. Aurel la regarda faire avec attendrissement. Ce geste était un souvenir fort de son enfance. Jamais dans ses autres postes il n'avait observé cette pratique typique des Russes qu'ils avaient exportée dans toute l'Union soviétique.

— Karimov joue un rôle très particulier pour le régime, renchérit-elle. Il est à la fois dedans et dehors. Proche de l'élite dominante et citoyen du monde. Homme d'affaires ayant pignon sur rue et, en même temps, grâce à sa fortune dont personne ne connaît l'origine, intermédiaire dans des affaires plus troubles.

— Sur le versant légal, compléta Layla, c'est un des promoteurs du nouveau quartier de Port-Bakou. Il y possède des immeubles de bureaux, des centres commerciaux, des boutiques de luxe. Surtout, il a négocié plusieurs grands contrats publics, toujours pour des firmes américaines. Le dernier en date était dans le secteur aéronautique.

— Et sur le côté louche, demanda Amélie, vous avez des exemples ?

— Ce qui est le mieux connu, c'est le trafic de pétrole avec l'Iran.

— C'est lui qui sert à contourner l'embargo américain.

— Le pétrole iranien passe en Azerbaïdjan ?

— Clandestinement. Grâce à Karimov.

— Par le Nakhichevan, justement.

La présence de Marie-Virginie dans ce qui se révélait être la zone obscure du pays, le lieu de tous les trafics et de toutes les corruptions, n'était décidément pas possible à attribuer au hasard. Qu'était-elle allée chercher là-bas ? Qui l'y avait attirée ? Qu'avait-elle vu qu'elle n'aurait pas dû voir ? Autant de questions qui ouvraient de nouvelles hypothèses et qui éloignaient du crime passionnel. Une grande perplexité se lisait sur le visage d'Amélie.

Mais Aurel, lui, suivait dans ses pensées une autre direction. Il n'avait plus rien dit depuis un moment et s'était abstrait de la conversation. Il y revint tout de go, en coupant la parole à Layla qui détaillait les affaires de Karimov.

— Depuis combien de temps dites-vous qu'il est rentré ?

Les deux sœurs s'interrogèrent l'une l'autre du regard.

— Difficile à dire.

— Quand on a commencé à en entendre parler, c'était juste après la mort de notre mère.

— Donc, je dirai, il y a cinq ans, annonça Kadja qui continuait à calculer. Quatre ans et demi, peut-être.

— Vous avez une photo de ce Karimov ?

Aurel parlait comme un automate. On voyait qu'il était toujours dans ses pensées.

— Il y en a plein les journaux. Il ne se passe pas de jour sans qu'il inaugure quelque chose ou qu'on le voie sortir d'une réception officielle.

— Dans ce cas, prêtez-moi un ordinateur ! Vous avez Skype ?

Dressé sur ses pattes, sa salopette bleue flottant autour de lui, Aurel avait l'air contrarié d'un nourrisson dont il aurait fallu d'urgence changer la couche. Layla se précipita pour lui apporter un ordinateur portable.

— Vous avez le wi-fi, dit-elle. L'icône Skype est en haut à droite.

Aurel saisit l'appareil et pianota dessus. Il le posa sur la table basse à côté du plateau de thé. Dans le silence de la pièce, on entendit retentir une sonnerie, puis, après quelques bruits de connexion, la silhouette de Mihna apparut à l'écran. Il était en maillot et ses muscles impressionnants dessinaient à contre-jour un contour puissamment galbé.

— Bonjour, Petit Oncle.

— Comment ça va, neveu ?

— Pas mal. Et toi ?

— Top ! Je viens de recevoir une boîte entière de scarabées de Colombie. Je suis déjà tout excité.

Les trois femmes regardaient alternativement Aurel et le jeune athlète qu'il appelait son oncle. Elles oscillaient entre perplexité et consternation.

— Dis-moi, Mihna, j'ai encore une question, à propos de l'ami de Carteyron.

— Engin ?

— Oui. Justement. Toi ou ton ami des coléoptères, vous n'auriez pas une photo de lui ?

— Il n'y en a pas beaucoup. Le type était discret. Mais Ricardo m'a dit qu'il avait été arrêté une fois pour une histoire de fraude fiscale. À ce moment-là, il y a eu sa photo dans le journal. Ricardo m'a proposé de me l'envoyer mais je ne pensais pas que ça t'intéresserait.

— Tu peux vérifier ?

— Je te rappelle.

Aurel coupa la communication. Quand il releva la tête, il découvrit trois visages sidérés. Amélie parla la première.

— Qui est ce type ?

— Mon oncle.

— Où est-il ? Il a un petit accent quand il parle le français.

Layla aimait bien tout raccrocher aux questions linguistiques.

— Au Canada. Mais il est roumain.

— Et vos histoires de scarabées et de coléoptères, c'est un code ? demanda Kadja que cela faisait plutôt rire.

— Pas du tout. Ce serait trop long à vous expliquer.

Au même instant, une sonnerie retentit dans l'ordinateur et Mihna apparut de nouveau à l'écran, éclairé de face cette fois, les broussailles de son visage enflammées par le soleil du matin.

— Coup de chance : j'ai attrapé Ricardo avant qu'il parte au marché à viande. Il m'a envoyé le document par mail. Je te le fais suivre sur quelle boîte ?

Layla épela une adresse électronique et Aurel la transmit.

— C'est parti.

— Merci, Petit Oncle. Je te libère. Va voir tes petites bêtes. Dieu te garde.

Layla ouvrit sa boîte de réception et ils attendirent.

Tout à coup, un nouveau message apparut. Layla cliqua sur la pièce jointe. Un signal d'attente s'afficha et soudain, éclatant sur tout l'écran, une mauvaise photo reproduite à partir du cliché charbonneux d'un journal s'ouvrit. On y voyait un homme tenu par deux gardes en uniforme. Il essayait de cacher son visage en levant ses mains menottées mais on distinguait nettement ses traits.

Les deux sœurs s'écrièrent en même temps :

— Karimov !

Aurel, comme si la tension se fût soudain relâchée, s'affaissa dans sa salopette et s'enfonça au creux du canapé.

Tous tenaient les yeux rivés sur le visage de l'homme en état d'arrestation et un silence épais s'installa. Il dura plusieurs longues minutes et se prolongea quand l'ordinateur passa en veille pour économiser sa batterie.

Layla et sa sœur respectaient l'émotion des deux Français sans la comprendre vraiment. Pourquoi parlaient-ils d'un « Engin » quand il s'agissait de Karimov ? Où avait été prise cette photo d'arrestation ? Quel lien tout cela avait-il avec Carteyron et la mort de sa femme ?

Quand Layla finit par poser la question, ce fut Amélie qui lui répondit. Aurel était toujours enfoui dans son canapé et semblait plongé dans un profond coma.

— Si je résume, commença Amélie, l'Ambassadeur a fait connaissance à Rio de Janeiro, où il était consul général, d'un mafieux notoire, baron du milieu local, dont il est devenu très proche. Cet homme se faisait appeler Engin et il était considéré comme turc. En réalité, nous venons de voir qu'il s'agissait d'un Azéri. Vu du Brésil, turc ou azéri, peu importe. D'ailleurs, ce sont presque les mêmes langues.

— Deux peuples, une nation, comme dit la propagande turque, plaisanta amèrement Kadja.

— Carteyron s'est beaucoup compromis avec cet Engin, a reçu de l'argent de lui, des avantages de toutes sortes par son intermédiaire, mais cette liaison dangereuse a pris fin brutalement avant qu'elle ne dégénère. Carteyron est rentré en France et le « Turc » a disparu.

— Pour venir ici.

— En effet, les dates correspondent. Engin est rentré dans le pays d'origine de ses parents. Il a pris une autre identité et se fait appeler Karimov.

— C'est le nom de son clan et il en a fait son nom de famille.

— Il a rapatrié sa fortune acquise dans les bas-fonds au Brésil, compléta Aurel, et il s'est acheté une respectabilité ici.

— Son mariage l'a bien aidé.

— C'est certain, admit Amélie. Et voilà que Carteyron est nommé ambassadeur ici. Ce n'est sans doute pas par hasard. Je pense qu'ils sont restés en contact de loin et quand il s'est agi de choisir son affectation, l'ancien consul général à Rio a fait connaître ses préférences. D'ailleurs, sa femme m'avait laissé entendre un jour qu'elle y avait contribué. C'est par elle qu'il avait obtenu un poste au cabinet d'un ministre qui était l'ami de son père. Et c'est ce même ministre qui l'a recommandé pour ce poste.

— Elle savait que Karimov était ici ?

— Sûrement pas ! Elle n'avait pas gardé un très bon souvenir de l'influence que le dénommé Engin avait exercée sur son mari.

— On la comprend...

— Bref, en arrivant ici, les relations entre les deux hommes reprennent. Ils ont mûri, ils sont plus discrets. Reste que Carteyron continue de bénéficier des largesses de celui qui ne se présente plus comme un mafieux mais comme un solide businessman.

— Des largesses ? Mais en échange de quoi ?

— C'est toute la question.

Il y eut un silence, entrecoupé par le ronflement d'une chaudière à gaz. Aurel était toujours muet. Tout à coup, la voix aigrelette de Layla retentit :

— C'est peut-être pour cela que Marie-Virginie rencontrait Yskandar.

Aurel bondit et la saisit par le col en dentelle de sa robe.

— Qui ? Qui voyait-elle ?

— Hé là, doucement ! Vous faites peur à ma sœur, protesta Kadja.

S'il retira ses mains, Aurel ne relâcha pas pour autant la pression sur Layla.

— Il est impossible que Marie-Virginie ne se soit pas rendu compte de ce qui était en train de se dérouler. Elle a compris trop tard, une fois qu'ils se sont établis ici, que son mari était de nouveau sous influence. Qui pouvait lui faire comprendre ce qu'on attendait de lui ? Qui pouvait l'éclairer sur les desseins cachés de Karimov ?

Qui voyait-elle ? Il faut nous le dire, Layla. Je suis sûr que la clef est là.

Tous étaient maintenant tournés vers Layla car la question s'adressait à elle.

— Yskandar, répéta-t-elle à voix basse, comme si elle se parlait à elle-même. Je pensais... Je pensais que c'était son amant.

Elle eut un petit rire amer, comme pour se moquer de son propre aveuglement. Aurel jeta un coup d'œil dans la direction d'Amélie. Il vit qu'au mot amant elle avait pris l'air indigné. Mais elle se retint et ne fit aucune remarque.

— Comprenez-moi... reprit Layla Ils se voyaient toujours en cachette. La première fois que je les avais surpris, c'était dans un petit restaurant assez typique fréquenté par les touristes. Il a été détruit pour bâtir le nouveau quartier d'affaires. Après, je les ai revus une autre fois, toujours par hasard. Là, j'étais cliente comme eux, dans un snack assez minable du quartier de Tbilissi Prospekt. C'est presque la banlieue. Il n'y a que de grands immeubles avec des logements sociaux. Vous dites comme ça, « logements sociaux » ?

Amélie opina.

— Je me suis demandé ce qu'une femme comme elle faisait par là. J'ai pensé qu'ils se cachaient et c'est pour cela que j'ai cru que c'était une histoire amoureuse.

Kadja rit, pour dissiper la gêne de sa sœur.

— Je me souviens que ça m'a un peu choquée parce que je trouvais qu'il n'était pas très beau et je me suis dit qu'elle aurait pu choisir mieux.

Elle voulut rire à son tour mais Aurel ne lui en laissa pas le temps.

— Qui est-ce ? la pressa-t-il. Qui est cet Yskandar ?

— Un journaliste, avança Layla.

Kadja se tourna vivement vers elle.

— Pas seulement. Il faut tout leur dire.

— Oui, reprit Layla à contrecœur. C'est un opposant au régime, surtout. Et ici, ils ne sont pas nombreux. Il a fait de la prison.

— Il travaillait dans une télévision mais ses enquêtes étaient un peu trop poussées au goût de certains. Même si c'était un média privé, on a préféré le mettre à la porte. Après, il a été correspondant de l'Agence France Presse. Il est francophone car il a étudié à Lille. Il aime beaucoup la France.

— C'est un homme de quel âge ? s'enquit Amélie.

— La cinquantaine. Mais usé. On sent qu'il a traversé pas mal d'épreuves. À l'AFP, par exemple, il n'a pas fait long feu. Protestations officielles, menaces de représailles économiques, etc.

— À propos de l'Arménie ? C'est le sujet sensible, non ?

— Entre autres, mais ce n'est pas tellement son combat. Lui, ce qui l'intéresse, c'est de démasquer la corruption, les entraves à la démocratie. La guerre en Arménie, c'est un des terrains sur lesquels cela se joue.

— Pourquoi est-il allé en prison ?

— Parce qu'un jour, il a touché le Saint des saints : il a mis en cause le président et sa famille. L'article était pour un média en ligne français. Ils n'ont pas pu empêcher la publication mais ils l'ont jugé pour atteinte à la sécurité de l'État.

— La sécurité ?

— Oui, parce qu'il mentionnait des contrats d'armement qui avaient donné lieu à des pots-de-vin au plus haut niveau.

— C'est courageux, dit Amélie.

— C'est fou, surtout. Je ne le connais pas bien mais je crois qu'il est vraiment un peu fou. Personne ne pourrait supporter la vie qu'il a eue. Tout homme sensé arrêterait ou partirait à l'étranger. Lui, il reste et il continue.

— Qu'est-ce qu'il fait en ce moment ?

— Il a monté son propre journal. Il n'a aucun moyen, pas de publicité, personne n'ose s'abonner. Il a acheté à la casse de vieilles machines

d'imprimerie et il fabrique son canard lui-même.
C'est bien correct, ça : un « canard » ?

Pendant qu'elles discutaient, les trois femmes n'avaient pas remarqué qu'Aurel s'était redressé et qu'il avait enfilé son blazer. Il était déjà debout quand il lança à Layla.

— Où habite-t-il ?

— Vous voulez y aller ! Mais ne faites pas cela. Il est très surveillé.

— Et vous aussi, ajouta Amélie.

— Je vous ai demandé où il habite.

C'était la première fois qu'Amélie voyait Aurel s'énerver. Le spectacle était assez comique. Le haut de son crâne rougissait comme une plaque de cuisson et il plissait les yeux, à la manière des lutteurs. Il tendait les bras vers le bas, les poings serrés. On sentait qu'à cet instant il était capable de tout. Layla le comprit et, après un ultime coup d'œil à sa sœur, elle capitula :

— Au fond d'une impasse, dans le quartier qu'on appelle Tbilissi Prospekt.

— Vous avez le nom de l'impasse ?

— Impasse Normandie-Niémen. Je le sais parce qu'il habite dans l'immeuble où se trouve l'association pour la mémoire de l'escadrille française qui a combattu avec les Russes. Le président de l'association est le père d'une amie. Son grand-père était français.

— Merci, lança Aurel, impérial. Maintenant, comment dois-je faire pour sortir ?

Layla lui fit monter encore deux étages et ils débouchèrent sur le toit. De là, on apercevait au loin la ligne violette de la mer sous le ciel que rosissait le couchant. Les toits en terrasse des maisons de la citadelle formaient comme un gigantesque damier. En enjambant un muret, ils passèrent du côté de la crêperie du Français Maurice. Layla indiqua ensuite à Aurel comment descendre, traverser la salle de restaurant et sortir dans la rue par là où ses anges gardiens supposaient qu'il était entré.

*

La nuit était sur le point de tomber. Le vent était très vif, desséché par les steppes turkmènes, sur l'autre rive de la Caspienne. Aurel n'avait pas eu le temps de se changer. Il s'était habitué à sa salopette et macérait dans ses bottes en caoutchouc. Il attirait toujours l'attention, d'autant qu'à la singularité de son accoutrement s'ajoutait une nervosité qui frisait l'hystérie. Il était envahi par l'idée qu'il lui fallait aller très vite, qu'il était sur le point de comprendre toute l'affaire. Comme un cuisinier occupé à réaliser un soufflé, il craignait qu'un geste maladroit, un délai inutile ne fasse tout retomber et tout perdre.

En se croyant très malin, il changea plusieurs fois de taxi. Il fit faire au dernier des demi-tours inopinés puis continua à pied et se cacha dans des renfoncements pour laisser passer d'éventuels poursuivants. Tout cela paraissait avoir fait son effet puisqu'il ne distingua personne derrière lui quand il arriva dans le quartier de Tbilissi Prospekt. Il était seul quand il entra dans l'impasse Normandie-Niémen.

Il marcha jusqu'au dernier immeuble et repéra au-dessus de l'entrée la plaque en émail représentant le sigle de l'association. Il essaya d'ouvrir la grande porte en métal mais elle était fermée à clef. Il frappa. La rue n'était éclairée que par un lampadaire dont le verre était cassé et qui répandait une lumière poussiéreuse. Une fenêtre s'ouvrit à l'étage et une forte femme, les cheveux en bataille, lui demanda en russe ce qu'il voulait.

— Voir M. Yskandar, cria-t-il.

— Il n'est pas là. C'était pour quoi ?

Aurel, à cet instant, eut la vague sensation que le paysage, au loin, s'éclairait d'un bleu trop vif.

— Consulat de France ! Vous pourrez lui dire quand vous le verrez ? Qu'il appelle M. Aurel.

— Oriel, grasseya la femme.

— Au-rai-leu.

249

— Oréle.

— C'est ça. À peu près. En tout cas le consulat de France.

— Consioula dé França.

— Très bien.

La femme était fière d'avoir pris avec succès un premier cours de français. Elle gratifia Aurel d'un sourire ébréché avant de fermer sa fenêtre avec précipitation. Aurel se demandait ce qu'elle avait vu quand il se rendit compte que le bleu qu'il avait aperçu de loin illuminait maintenant la façade et le sol. Il se retourna et vit une voiture de police foncer vers lui gyrophare allumé. Deux agents en descendirent et, sans lui donner la moindre explication, l'embarquèrent à l'arrière, puis démarrèrent à toute vitesse.

*

La patrouille qui avait arrêté Aurel le déposa d'abord dans un commissariat proche. C'était une antenne de police avec un effectif très réduit. L'activité principale consistait à capturer des malheureux dont on ne comprenait pas bien de quoi ils pouvaient être coupables. Ils n'avaient pas l'air de le savoir non plus. Mais ils appartenaient à cette partie de l'humanité à qui le destin, partout et de toute éternité, a dévolu le rôle de victimes. Vagabonds, malades mentaux, misérables en tous genres, ils attendaient, assis sur des bancs crasseux, disposés par avance à tout, ne craignant pas plus la prison que la liberté.

Nul, parmi le personnel, même les gradés, ne semblait avoir l'autorité pour traiter le suspect très particulier qu'était Aurel. La fonction de ces subalternes était uniquement de le garder, en attendant qu'on le transfère ailleurs.

Il comprit vite que la perte de temps était la sanction principale qu'il aurait à redouter. Il était presque dix heures du soir quand un fourgon grillagé vint le chercher. On le transporta à l'autre bout de la ville dans un bâtiment immense qui semblait occupé par un ministère. Ce fut là, dans un cagibi tout à fait semblable à son bureau au consulat, qu'il subit son premier interrogatoire mené par deux policiers en tenue. Il consistait en une série de questions simples et dont, à l'évidence, ses geôliers connaissaient les réponses aussi bien que lui. Nom, prénom, date de naissance, etc.

Les policiers, à tour de rôle, faisaient mine d'être choqués par un détail.

— Né en Roumanie ? Ah ! Ah ! Ah !

Froncement de sourcils, regard en dessous, conciliabule en langue azérie. Puis tout rentrait dans l'ordre.

— Divorcé ? Oh ! Oh ! Oh !

Nouveau numéro de soupçon, sur le mode : « Votre compte est bon. »

Finalement, vers une heure, on le rembarqua dans un autre véhicule, direction la sortie de Bakou.

D'où il était, à l'arrière, Aurel ne voyait pas la route qu'ils empruntaient. Il distinguait dans l'obscurité des flammes de torchères. Il se douta qu'on l'emmenait vers le sud de la presqu'île. Au bout d'une petite heure, ils pénétrèrent dans un immense complexe de bâtiments bas, violemment éclairés par des projecteurs. Ils entrèrent dans l'un d'entre eux et croisèrent une vingtaine de personnes, en uniforme et en civil, qui circulaient dans les couloirs avec des airs affairés.

Le prisonnier n'était pas menotté, signe que, malgré la sévérité affichée par tous ceux qui l'approchaient, tout le monde était conscient qu'il bénéficiait de la protection diplomatique et ne pouvait être maltraité.

Après l'avoir fait encore attendre une bonne heure, deux gardiens vinrent le chercher et lui firent prendre un monte-charge. L'appareil était assez vaste pour contenir une voiture. Il descendit lentement et Aurel compta sept étages en sous-sol.

Tout était à la fois ultramoderne et sinistre, comme si aucune trace d'humanité n'eût pu s'attacher à ces murs laqués ou à ces portes en acier brossé.

Au bout d'un long couloir, les gardes l'installèrent dans une salle d'interrogatoire classique, munie d'une table, de deux chaises et surveillée par des caméras bien visibles au plafond.

Un homme et une femme, en tenue civile mais stricte et sans fantaisie, entreprirent de l'interroger dans un français très correct.

Aurel se sentait tranquille et même un peu amusé. Il avait appris à ne rien dire au cours de ce genre de séance et s'y était exercé bien avant que ces deux zozos ne viennent au monde. L'interrogatoire était surtout un moyen pour lui d'apprendre ce que savaient ceux qui posaient les questions.

Il en retira la certitude qu'ils agissaient sur ordre politique et dans un cadre très contrôlé. L'opération se résumait à une tentative d'intimidation.

Les questions qu'ils lui posèrent à propos du journaliste qu'il allait voir n'étaient à l'évidence pas destinées à obtenir des révélations. Ils savaient certainement tout sur Yskandar depuis bien des années. Peut-être même avait-il été détenu dans ces murs.

Le but de cet échange était d'ôter à jamais l'envie à Aurel de rencontrer ce personnage.

À travers les autres questions qu'ils lui posèrent, il acquit la conviction qu'ils étaient directement renseignés sur ses faits et gestes. Il se demanda si c'était pour leur compte que travaillaient ceux qui l'avaient pris en filature.

Les heures passaient. Aurel avait faim et sommeil. Ses interrogateurs se relayaient pour ne lui laisser aucun répit. Il perdait la notion du temps et se disait que dans cette prison souterraine, le plus terrible devait être de vivre ainsi dans une soupe d'heures interminables, que n'ordonnaient pas les mouvements du soleil.

Enfin, à un moment quelconque de cette longue veille, des gardes vinrent se saisir de lui et le reconduisirent jusqu'au monte-charge. Lentement, il regagna la surface. Quand il sortit dans le hall, la première personne qu'il vit fut Amélie.

Il l'embrassa en l'appelant « ma petite cousine ». Elle mit cela sur le compte de la fatigue.

XI

Il était huit heures du matin quand Amélie avait récupéré Aurel à la prison. Il n'avait pas tenu jusqu'à chez lui et s'était endormi dans la voiture, sur le chemin du retour. Elle l'avait soutenu pour monter jusqu'à son appartement. Il s'était affalé sur son lit sans se déshabiller.

Il était bien parti pour dormir toute la journée. Hélas, à midi, il entendit frapper à sa porte à coups répétés. C'était de nouveau Amélie.

— Qu'est-ce qui vous prend ? Quelle heure est-il ? gémit-il, en entrebâillant la porte.

— Habillez-vous et suivez-moi tout de suite. Je sais, vous avez sommeil. Mais croyez-moi, il n'y a pas de temps à perdre. Vous vous rattraperez ce soir.

— Vous suivre ? Mais où ?

— Je vous expliquerai.

Amélie décida d'attendre dans l'entrée de l'appartement, de peur qu'Aurel ne se recouche. Elle fut rassurée de l'entendre faire couler de l'eau. Elle passa dans la cuisine pour lui préparer un café. Un empilement de tasses et de verres sales obstruait l'évier et débordait sur tout le plan de travail. Elle fit un peu de place pour dégager la bouilloire.

Quand il réapparut, contre toute prévision, Aurel avait revêtu une tenue à peu près cohérente. Il n'avait fait aucun effort pour y parvenir : le hasard avait placé devant lui un pantalon de flanelle et une veste noire. Seul le T-shirt en nylon rose fuchsia dénotait un peu mais il donnait à l'ensemble une touche de couleur qui pouvait passer pour une forme d'élégance. Amélie eut seulement à intervenir pour qu'il ne sorte pas pieds nus.

Une fois dans la voiture, sa tasse de café à la main, il reprit un peu conscience.

— Pourquoi m'avez-vous réveillé ? Il y a une urgence ?

— Oui.

— De quoi s'agit-il ?

Il ne doutait pas que ce fût encore une catastrophe.

— La providence.

— Ça existe ?

256

— Il faut croire. Yskandar a envoyé un message.

— À vous ?

— Non, à vous.

— Comment est-ce possible ?

— L'homme est malin, il faut croire. Il a fait déposer un pli contenant un vieux passeport à son nom, comme s'il sollicitait un visa. Les gendarmes ne se sont pas méfiés et me l'ont monté. Dedans, il y avait ce mot.

Amélie tendit à papier à Aurel mais il n'avait pas ses lunettes et ses yeux rougis lui faisaient mal.

— Lisez-le-moi.

— Pas facile. Je conduis et c'est écrit tout petit. De mémoire : rendez-vous à 14 heures à la Rolls de la douane. Taxi monospace noir vous attend portes ouvertes.

— Qu'est-ce que c'est que cette histoire de Rolls ? Vous êtes sûre que ce n'est pas une provocation de la police ?

— Non. J'ai vérifié. Tout le monde connaît ça, à Bakou. Un Azéri a importé une Rolls-Royce juste après la fin de l'URSS...

— Il y a trente ans.

— Eh oui ! Le fait est qu'on a voulu faire payer des droits de douane à ce monsieur. Il a refusé et la Rolls est restée jusqu'à maintenant sur le parking de la douane. Elle est couverte de fiente de pigeon et on vient la voir en famille le dimanche. De l'autre côté de l'enceinte de la douane, il y a un grand parking avec des taxis.

— C'est là que nous allons ?

— Oui. Il faut juste que je passe à l'ambassade voir les sénateurs. Au fait, Gauvinier a demandé après vous ce matin. Hier, ils sont rentrés tard de leur visite des raffineries. Ils ont bien regretté que vous ne soyez pas avec eux. Je me gare, ne vous montrez pas, surtout. Baissez le dossier de votre siège et allongez-vous.

Amélie plongea dans l'ambassade, y resta quelques minutes puis redescendit et se remit au volant.

— Le Consul honoraire du Nakhichevan a laissé un message, annonça-t-elle avec un sourire triomphant. Quatre Iraniens sont entrés peu après Marie-Virginie dans la forteresse. C'étaient de jeunes types costauds et ils ont menacé le gardien s'il parlait. Comme, de toute façon, il avait l'intention de ne rien dire...

Aurel parut méditer cette information puis s'endormit profondément. Amélie ne le réveilla qu'à la sortie de Bakou, peu avant l'arrivée sur le parking de la douane.

— Faut vous secouer, dit-elle. Je pense qu'il va y avoir de l'action. On est suivis.

— Aïe ! Il vaudrait mieux annuler, alors.

— Je pense qu'il s'y attend. Yskandar se doute bien qu'on ne va pas arriver tout seuls. Il a dû prévoir quelque chose.

Amélie passa une première fois au large du parking de la douane sans s'y arrêter. Elle repéra la Rolls derrière les grilles. Il y avait un petit attroupement devant, comme d'habitude. Elle nota aussi la présence de nombreux taxis.

— Ça a l'air d'être un nœud de communication, ce parking, commenta-t-elle pour Aurel qui ne pouvait pas voir d'aussi loin. Il y a des bus, des taxis. Les gens passent des uns aux autres.

— Vous voyez le monospace noir ?

Amélie fit demi-tour sur un rond-point sablonneux et repassa dans l'autre sens.

— Ça y est ! Je l'aperçois. En fait, il y en a deux côte à côte, dans l'axe de la Rolls. Celui qui est au bout de la rangée a la porte coulissante ouverte.

Elle s'engagea sur le grand parking. Il n'était pas asphalté. La voiture rebondissait sur les trous que la pluie avait creusés dans le sol. Amélie alla se placer assez loin du monospace, de façon à ne pas laisser prévoir à leurs poursuivants qu'ils se dirigeraient vers ce véhicule plutôt que vers un autre. Elle se retourna et nota que la voiture de surveillance s'était arrêtée assez loin, en bordure de la route, et que ses occupants restaient pour le moment à l'intérieur.

— Prêt ? On y va ?

Aurel était parfaitement réveillé et il regardait Amélie avec admiration.

— Vous savez pourquoi je vous ai appelée « ma petite cousine » ?

— Je vous en prie, Aurel, ce n'est vraiment pas le moment.

— Eh bien, à cause de moments comme ceux-là. Je suis fier de vous.

Et, s'étonnant lui-même, sans penser, comme il l'aurait fait en d'autres circonstances, qu'il était mal rasé et hirsute, il se pencha vers Amélie et lui colla un baiser sonore sur la joue.

— À Dieu vat ! s'écria-t-il en ouvrant sa portière.

L'air était glacial sur cet espace découvert et battu par le vent. Le sol plein de cailloux tranchants rendait la marche difficile. Ils avançaient en se tordant les pieds. À mi-chemin du taxi, Amélie se retourna. Elle vit qu'un de leurs poursuivants était sorti de la voiture et s'engageait sur le parking tandis que l'autre restait au volant.

Elle saisit Aurel par le bras pour le faire marcher plus vite.

Quand ils furent tout proches du monospace, ils aperçurent quelqu'un à l'arrière qui paraissait les attendre. Amélie s'engagea la première pour monter. C'est alors qu'elle sentit une main l'agripper fortement à la hauteur du coude et la tirer vivement à l'intérieur. Puis, sans la lâcher, le même passager invisible lui fit traverser le véhicule dans toute sa largeur et la fit sortir par l'autre porte coulissante qui était également ouverte. Enjambant l'espace entre les deux voitures, Amélie se trouva saisie par quelqu'un d'autre qui l'attira dans le deuxième taxi. Elle se retrouva assise sur la banquette arrière d'une voiture qui n'était pas celle où elle était entrée. Le temps de se rendre compte de ce qui se passait, Aurel était projeté de la même manière à ses côtés. La porte se ferma. Le taxi où ils étaient censés se trouver démarra. L'ange gardien courut à sa voiture, qui se lança à la poursuite du monospace vide. Pendant ce temps, bien dissimulés par les vitres fumées du taxi immobile, Amélie et Aurel saluèrent les deux hommes qui se trouvaient à l'avant. L'un d'eux était le chauffeur et l'autre était celui qui les avait vigoureusement tirés à l'intérieur.

Ils attendirent deux minutes puis mirent tranquillement le taxi en route.

— Quand je vous disais que notre ami est malin.

Le taxi retraversa la ville, prit la voie rapide, passa devant l'Intourist puis monta en haut de la colline où se dressaient les tours du feu. Ils les dépassèrent sans s'arrêter et continuèrent à monter. Quelques buildings à peine terminés s'élevaient au voisinage des tours mais rapidement la ville se terminait et, tout près de ces constructions futuristes, s'étendait encore une lande de genêts secs et de pins. De vieilles maisons de guingois y survivaient, témoignages de temps anciens qui n'allaient pas tarder à disparaître. En attendant, ils étaient à la campagne.

Le taxi tourna plusieurs fois et s'engagea sur un chemin de terre qui longeait la colline. Ils découvrirent bientôt sur leur gauche une vue époustouflante sur Bakou. La rade dessinait sa parabole parfaite et la Caspienne, couverte de lourds nuages, s'animait d'étendues claires qu'ourlait le reflet noir de grains immobiles.

Tout au bout de la portion horizontale du chemin et avant qu'il ne plonge vers l'autre versant de la colline, était bâtie une maison aux murs couverts d'un crépi blanc écaillé. Elle était entourée par une enceinte de pierres très haute, construite si près de la maison elle-même qu'elle en obstruait pratiquement les fenêtres. Au-dessus, heureusement, une large terrasse permettait de profiter de la vue sur la ville et sur tout le pied de la péninsule.

Le taxi s'arrêta devant la porte d'entrée qui était peinte du même bleu que les églises des Cyclades. Amélie et Aurel descendirent.

Un homme les attendait dans l'encadrement de la porte. Il était plutôt petit, un peu voûté. Sa tête était entourée d'abondants cheveux poivre et sel et d'une barbe plus sombre. Il souriait avec cet air de béatitude qu'ont les gens désespérés quand ils ont décidé d'ignorer le malheur et de lui préférer la vie.

— Bonjour, prononça-t-il dans un français sans accent. Mon nom est Yskandar. J'espère que vous avez fait bon voyage.

Ils pénétrèrent à sa suite dans la maison. Elle était plongée dans la pénombre, à cause des murs qui l'enserraient. Une lampe sourde, dans un coin, dessinait un halo de lumière autour duquel étaient assemblés un canapé taché et deux fauteuils défoncés.

Ils prirent place, Amélie seule sur le sofa et Aurel plongé dans un des fauteuils, sans garantie de pouvoir de nouveau s'en extraire. Yskandar, plus avisé, avait avancé pour lui-même un tabouret de bois.

— Je suis heureux de vous voir, commença-t-il de sa voix fascinante.

263

La douceur qu'on y percevait était la résultante d'une puissance contenue. Tout, dans cet homme, respirait le calme, non pas celui qui procède de la résignation, mais au contraire d'une volonté maîtrisée.

— À vrai dire, je vous attendais même un peu plus tôt.

Devant la surprise exprimée par Amélie, il compléta :

— Vous ou quelqu'un d'autre. Quelqu'un qui ne croirait pas à la mort accidentelle de Marie-Virginie. Mais personne n'est venu.

— Merci de nous recevoir, commença Amélie, et bravo pour la manière dont vous nous avez libérés de nos anges gardiens.

— Vous les retrouverez, n'ayez pas peur ! Assez vite, même, car il ne faut pas que notre rencontre dure trop longtemps. Il ne faudrait pas qu'ils arrivent jusqu'ici et nous trouvent ensemble. Que voulez-vous savoir ?

Il fit signe à un jeune homme qui se tenait debout près de l'entrée.

— Café pour tout le monde ?

Yskandar montra trois doigts et le garçon disparut, sans doute vers la cuisine.

— Nous voudrions que vous nous parliez de Marie-Virginie de Carteyron, reprit Amélie. Comment l'avez-vous rencontrée ? Que cherchait-elle auprès de vous ? Quelle est, selon vous, la cause de sa mort ?

— J'avais compris qu'il s'agissait de cela. J'aurais bien d'autres choses à vous raconter sur ce pays mais ce sera pour une autre occasion, si elle se présente jamais.

Sur ces mots, son regard s'emplit un instant d'une grande mélancolie.

— C'est elle, c'est Marie-Virginie qui est venue à moi. Je ne la connaissais pas et je ne fréquente plus guère l'ambassade de France. Je l'ai fait longtemps car j'aime beaucoup votre pays et il y a peu de francophones ici. Mais je pense que les derniers ambassadeurs ont reçu des consignes de prudence. Pour eux, je suis un repris de justice...

Le jeune garde arriva avec un plateau métallique et déposa maladroitement les trois cafés sur la table basse, en en renversant la moitié dans les soucoupes.

— Marie-Virginie, au contraire, c'est cela qui l'a amenée jusqu'à moi.

— Vos démêlés avec la justice ? demanda Amélie.

— Avec la censure. Il faut nommer les choses, si on veut les combattre.

Aurel ne quittait pas Yskandar des yeux. Un puissant élan de sympathie le portait vers cet homme. Il lui en rappelait tant d'autres, de ces personnages simples et solides, déterminés à se battre pour une liberté qu'ils ne connaîtraient jamais.

— Des gens lui avaient dit que j'étais un journaliste. Un vrai, j'ose le dire sans me vanter. C'est-à-dire que je cherche et que je trouve. Elle a demandé à me rencontrer. Je n'étais pas aussi surveillé que je le suis aujourd'hui, c'est-à-dire depuis sa mort. Nous nous sommes vus dans un café. Elle m'a parlé de ses photos.

— Sur les forteresses ?

— Elle faisait deux types de travail. Celui sur les châteaux d'Azerbaïdjan était une commande. Elle était autodidacte et il fallait qu'elle publie un premier ouvrage si elle voulait qu'on la prenne au sérieux. Mais, pour elle-même, elle étudiait d'autres sujets, par exemple la condition des femmes dans ce pays. Elle se passionnait pour la question de la pauvreté dans les pays riches, ce paradoxe universel mais qui prend ici des couleurs particulières. C'était quelqu'un de très curieux. Tout l'intéressait. Elle avait la conviction que l'esthétique révèle le fond des choses et des êtres, leur vérité. Elle avait travaillé ce sujet pendant ses études d'histoire de l'art.

Yskandar parlait de Marie-Virginie avec une visible tendresse. Il tenait les yeux baissés quand il l'évoquait, comme s'il les avait abstraits du présent pour les tourner vers les images d'elle qu'il conservait dans sa mémoire.

— Elle ne vous a pas parlé de Karimov tout de suite ?

— Non, madame. C'est venu très progressivement. Elle m'a d'abord parlé d'elle et de son mari. Leur rencontre, leurs postes à l'étranger, leurs familles. Elle avait un côté oriental, toute Française de souche qu'elle était.

— Que voulez-vous dire ?

Amélie n'avait jamais eu cette idée à propos de Marie-Virginie.

— Elle partait de loin quand elle abordait un sujet. Elle commençait par peindre les bords du tableau, avant d'arriver au motif principal. Nous aimons bien cela, nous, les Asiates...

Il sourit et but une gorgée de café comme pour matérialiser ce temps, cette patience auxquels il attachait du prix.

— C'est seulement la troisième ou la quatrième fois que nous nous sommes vus que j'ai commencé à comprendre où elle voulait en venir. Elle avait fait le lien entre Karimov et l'homme qu'ils avaient rencontré au Brésil sous un autre nom. Elle avait compris que son mari était sous l'influence de cet homme, qu'il était incapable de lui résister.

— Vous donnait-elle l'impression d'aimer son mari ? coupa Amélie. Je sais, ma question est un peu directe et probablement simpliste...

— Sans aucun doute. Mais c'était un amour particulier. Comment pourrais-je le dire : sacrificiel, voilà. Elle voulait le sauver. Le sauver des autres mais aussi de lui-même. Il y avait quelque chose de douloureux dans cet amour.

— Elle en était consciente ?

— À sa manière. Elle ne décrivait pas ses sentiments. Sans doute était-elle trop pudique pour cela. Mais elle donnait des exemples et on comprenait.

Pendant qu'il parlait, Yskandar jouait avec ses mains. Amélie les regardait. Il avait de longs doigts fins, élégants et délicats, mais ils étaient tachés de noir par les machines d'imprimerie. Elle se souvenait de ce qu'avait raconté Layla et elle imaginait cet homme traqué rouler feuille à feuille chaque nuit des journaux qui pouvaient lui valoir la prison, la torture et la mort.

— Elle m'a avoué qu'elle avait dénoncé son mari à Rio auprès de l'Ambassadeur, pour qu'il soit rappelé avant de commettre une trop grave bêtise.

Aurel et Amélie se regardèrent, stupéfaits.

— C'était elle !

— Elle l'avait fait pour son bien et cela ne lui avait pas porté préjudice, au contraire.

L'Ambassadeur, à Brasilia, avait eu de la compassion pour ce jeune collaborateur soumis à de redoutables tentations. Il l'a renvoyé à Paris en invoquant une réorganisation des postes et il l'a bien noté.

— Carteyron a su que c'était sa femme qui l'avait dénoncé ?

— Elle le lui a dit.

— Il lui en a voulu ?

Aurel laissait Amélie poser les questions sur ces aspects affectifs qui avaient l'air de la passionner. Il est vrai qu'elle avait connu Marie-Virginie directement.

— Elle affirmait qu'au contraire son mari lui avait été reconnaissant de l'avoir fait redescendre sur terre et d'avoir sauvé sa carrière. Il se rendait compte qu'il était en train de tout perdre mais c'était plus fort que lui. Ses complexes d'enfant sans fortune le poussaient à s'enivrer de succès artificiels et vénéneux.

— « Vénéneux » !

On sentait qu'Yskandar avait appris le français en lisant beaucoup. Aurel était un peu jaloux de son vocabulaire.

— Marie-Virginie disait que la période qui a suivi leur retour précipité en France a été une des plus heureuses de leur vie.

Aurel se rappelait les photos de cette époque et il était satisfait d'avoir deviné juste.

— Elle comptait agir de la même manière ici, pour éloigner son mari de Karimov ? demanda-t-il.

— Exactement. Sauf que c'était beaucoup plus difficile. D'abord, elle ne pouvait pas solliciter l'intervention de l'Ambassadeur puisque c'était lui, Carteyron, qui occupait ce poste. Il fallait qu'elle alerte le Quai, mais elle ne savait pas exactement qui. Et surtout, elle ne pouvait envisager de le faire qu'avec un dossier solide. Et cette fois, c'était beaucoup plus difficile. Vous permettez que je fume ?

Il s'était retenu jusque-là. Mais en abordant le cœur de l'affaire, il avait sans doute besoin de calmer sa nervosité. Il sortit une blague de tabac à rouler et tira une feuille de papier d'un paquet.

— À Rio, ce qu'on pouvait lui reprocher était simple. C'étaient les filles, les orgies, les grosses bagnoles, le fric claqué comme ça. La débauche, quoi. Visible et inoffensive. Et en liaison avec un mafieux notoire. Ici, il y avait encore un peu de tout ça mais c'était beaucoup plus discret. Surtout, Karimov se présentait désormais comme un homme installé, relié aux plus hautes sphères du pouvoir. Pour tirer la sonnette d'alarme sans être ridicule, il fallait en savoir beaucoup plus. Il fallait comprendre ce que Karimov attendait vraiment de celui auquel il consentait toutes ces largesses.

— C'est cela qu'elle est venue vous demander ?

— Oui.

— Et vous l'avez fait ?

— Bien sûr.

Amélie reconnaissait bien là l'effet du charme irrésistible de Marie-Virginie. Ce qu'elle dégageait ne relevait pas du sexe mais en avait la force. Elle suscitait un désir puissant qui ne prenait pas la forme d'une union des corps mais qui se déployait dans l'ordre de l'esprit. Le plaisir que l'on recherchait avec elle, c'était celui qu'on pouvait lui procurer en comblant ses attentes, en répondant à ses espoirs, en calmant ses doutes.

— Vous avez eu le temps de l'informer des résultats de votre enquête ?

— Je lui ai confié l'essentiel.

— Vous pouvez nous dire ce que vous avez découvert ?

Yskandar consulta la grosse montre en plastique noir qu'il portait au poignet.

— De combien de temps disposons-nous ? s'enquit Aurel.

— Votre sécurité n'est assurée que pendant une demi-heure. Au-delà, ils vont se rendre compte que vous n'êtes pas dans l'autre taxi et vous aurez des ennuis.

— Dans ce cas, résumez-nous les points principaux.

Le journaliste fouilla dans sa poche et en tira un briquet en plastique. Il alluma la cigarette qu'il avait roulée et souffla la fumée par le nez.

— Karimov est engagé dans beaucoup d'affaires, vous le savez, je pense. Certaines sont légales, d'autres moins. Le principal problème était de savoir dans quel domaine il pouvait avoir besoin de Carteyron. Je suis assez vite arrivé à la conclusion que l'utilité principale, sinon exclusive, d'avoir un ambassadeur de France dans sa poche, c'était d'intervenir dans la négociation des grands contrats. Je ne parle pas des accords directs signés entre des entreprises de taille moyenne. Le sujet, ce sont les grands appels d'offres internationaux dans les secteurs où les États interviennent, l'énergie, l'aviation, les grands chantiers publics comme un opéra ou un stade géant.

— On nous a dit que la France a connu plusieurs échecs dans ces domaines ces dernières années...

— Soyons précis : depuis l'arrivée de Carteyron, plus rien n'a été signé à l'exception d'affaires conclues avant son arrivée.

— Il paraît que c'est à cause de la politique française trop favorable à l'Arménie.

— Là encore, l'Arménie a bon dos. Il y a longtemps que la France, sous la pression de sa forte communauté arménienne, aide ce pays et commerce avec lui. Jusqu'ici, ça n'empêchait pas de signer de gros contrats avec l'Azerbaïdjan.

— Vous voulez dire que Carteyron torpille les accords commerciaux ? Comment peut-il y arriver sans que cela se voie ?

— Au début, ça ne pouvait pas trop se voir parce que les contrats en question étaient assez modestes. Les avantages des entrepreneurs français n'étaient pas très évidents. Surtout, on pouvait invoquer d'autres raisons pour expliquer que ça ne marche pas. Mais la dernière affaire en date, qui concernait un achat d'avions gros-porteurs commerciaux, était d'une taille bien plus considérable que les précédentes. C'était un véritable enjeu d'État. Elle était bien engagée pour la France et Airbus devait logiquement l'emporter.

— Quand est-ce qu'a eu lieu cette négociation ?

— Elle est entrée dans sa phase finale cet été. Et l'accord a été signé le 1er septembre. Avec les Américains, puisque c'est Boeing, représenté par Karimov, qui l'a emporté.

Aurel se tourna vers Amélie.

— Mme de Carteyron est morte...

— Le 25 août.

— Donc, elle n'a pas vu la conclusion de l'affaire. Vous en parliez avec elle ?

— Bien sûr. Quand mon enquête a pris corps, je lui ai fait part de mes soupçons à propos des autres contrats. Mais on ne pouvait rien prouver. En en discutant, nous sommes tombés d'accord pour dire que le vrai test serait l'affaire Airbus. Nous avons regardé ça de près mais nous n'avons rien trouvé de concret.

— Vous voulez dire que l'Ambassadeur n'intervenait pas sur le dossier.

— Si, certainement. Mais de façon discrète, sans laisser de trace.

— Qu'est-ce que cela veut dire, selon vous, intervenir discrètement ? Qu'est-ce que Karimov lui demandait ?

— Je pense que Carteyron le tenait au courant de tous les détails de la négociation avec la présidence. C'est déjà beaucoup. Cela veut dire que Karimov connaissait toutes les offres d'Airbus.

— Même en matière de commissions ?

— Surtout. Dans une affaire comme celle-là, tout est une question de pots-de-vin. Qui arroser et combien...

— Je ne comprends pas, coupa Amélie. D'après ce que nous savons, Karimov est membre du premier cercle dans ce pays. Il n'a pas besoin de l'ambassadeur de France pour savoir ce qui se passe à la présidence, ni même pour faire pencher la balance de son côté.

Yskandar soupira, en écrasant son mégot mouillé.

— Vous ne savez sans doute pas ce que c'est qu'un pouvoir clanique. Bien sûr, un groupe tient les leviers du pouvoir. Mais il n'est pas homogène. Il est composé de sous-groupes en lutte les uns contre les autres. Plus vous approchez du sommet, plus le combat est féroce.

Il lissa sa barbe hirsute dans sa main comme pour chasser un goût amer qui lui serait venu dans la bouche. Puis il sourit.

— Si Karimov défend Boeing, cela veut dire qu'un autre membre du premier cercle se fait le champion d'Airbus. Et chacun avance ses pions, cherche à piocher des atouts. Croyez-moi, Carteyron était un gros atout dans la manche de Karimov. Un atout dont il n'avait d'abord utilisé que les petites cartes. Mais il savait qu'un jour il pourrait lui demander de lui offrir une carte maîtresse.

— Si je comprends bien, dit Aurel qui faisait une grimace à force de réfléchir intensément, il

275

n'avait pas encore abattu cette carte quand Marie-Virginie est morte.

— Il l'a fait juste après.

— Combien de temps après ?

— Le jour même, ou le lendemain.

Un silence s'établit dans la pièce. On entendait courir des gamins dans la ruelle et de temps en temps un ballon rebondissait contre le portail métallique.

— C'était quoi, cette carte maîtresse ?

— Un rapport interne d'Airbus concernant un défaut de sécurité des appareils en négociation. Rien de méchant, en vérité, puisque l'anomalie était repérée. Mais, habilement présenté, en retirant certains passages, c'était une arme redoutable. Karimov a su admirablement s'en servir. Il a emporté le morceau.

— Personne n'a eu de soupçon sur l'origine de la fuite ?

— Marie-Virginie aurait pu en avoir. Mais elle n'était plus là pour les exprimer. De surcroît, sa mort a plongé l'ambassade dans l'affliction et personne n'allait seulement songer à tracasser un pauvre veuf.

— Et vous ?

— Moi, j'ai été arrêté le lendemain de la mort de Marie-Virginie sous un motif absurde de fraude fiscale. Karimov a beaucoup de relais dans la police. Il obtient d'elle ce qu'il veut. Les services de sécurité ont saisi l'intégralité de mes archives. De toute manière, je n'ai jamais possédé de preuve matérielle de ce que je vous ai dit. Seulement des témoignages oraux, de secrétaires et de personnel d'exécution. Des gens qui ne parleront qu'à moi et qui, pour la plupart aujourd'hui, ne parleront plus. Il y a eu des purges terribles ces derniers mois dans l'administration. Tous ceux qui, en raison de leur origine ethnique notamment, étaient suspects ont été éliminés. J'appartiens à un petit peuple, une des minorités du pays que l'on nomme les Lesghiens. Mes compatriotes ont été particulièrement ciblés par la répression.

Aurel se leva à grand-peine du fauteuil dans lequel il s'était profondément enfoncé et se mit à faire les cent pas dans la pièce.

— Si je vous ai bien compris, Marie-Virginie était la seule personne qui aurait pu dénoncer cette affaire. Carteyron le savait car il connaissait le rôle qu'elle avait joué à Rio.

— En effet.

— Et Karimov savait que vous étiez en rapport avec elle et que vous risquiez de découvrir la trahison de son mari.

— C'est certain.

— Votre conclusion est sans appel, si l'on vous a bien compris. Cette opération ne pouvait se faire que si Marie-Virginie de Carteyron était éliminée. Vous suggérez donc que Carteyron et Karimov ont organisé ensemble sa mort.

— Je le crois, en effet.

— Karimov, je comprends, intervint Aurel. Mais je ne vois pas Carteyron faire tuer sa femme pour une affaire d'espionnage industriel.

— C'est monstrueux, en effet, prononça gravement Amélie. Mais souvenez-vous de sa revanche sociale violente, à Rio, quand la force est passée de son côté. Il y a de la haine chez cet homme. Et c'est vous-même qui m'avez appris qu'il entretenait une jeune maîtresse.

Ils se donnèrent un temps pour réfléchir tous les trois. Aurel secouait la tête d'un air dubitatif.

— Pourquoi l'exécution a-t-elle eu lieu au Nakhichevan ? demanda-t-il enfin.

— Parce que c'est un endroit isolé. Parce qu'on ne peut y faire aucune enquête. Parce que les gens au pouvoir y sont chez eux...

— Apparemment, intervint Amélie, ce seraient des Iraniens qui l'auraient poursuivie et précipitée du haut des remparts.

— Ça ne m'étonne pas. Karimov est un homme clef pour les Iraniens. Il trafique leur pétrole. Ils ne peuvent rien lui refuser. Envoyer une équipe de tueurs à travers la frontière jusqu'à Ordubad a dû être facile. Et comme cela, au cas, bien improbable, où il y aurait tout de même eu une enquête en Azerbaïdjan, les coupables auraient été introuvables. Personne ne pourra jamais remonter cette piste.

Amélie se leva à son tour. Tout le monde était très nerveux. Aurel déambulait toujours et Yskandar regardait anxieusement sa montre.

— Il y a quand même quelque chose que je ne comprends pas, reprit Amélie. Pourquoi Marie-Virginie est-elle allée là-bas ? Pourquoi s'est-elle jetée dans la gueule du loup ? Elle se méfie de Karimov et elle va s'exposer dans son fief.

— Ce n'est pas plus son fief que le reste du pays, ou plutôt, le Nakhichevan est le fief de tous ceux qui sont au pouvoir. Elle ne devait pas se sentir plus menacée là-bas qu'ailleurs. Ce qui comptait pour elle, c'était son livre sur les châteaux. Il était presque terminé. Avec Ordubad, elle l'aurait conclu en beauté.

— Elle avait soumis sa demande de laissez-passer depuis longtemps ?

— Plus de trois mois. Quand elle a reçu un appel personnel de la conservatrice des monuments historiques qu'elle aimait beaucoup pour lui dire qu'elle avait le feu vert, elle n'a pas hésité. Il est bien dommage que je n'aie rien su de cet appel. J'aurais pu lui dire...

— Quoi ?

— Que la directrice des monuments historiques était la belle-sœur de Karimov.

XII

Le même taxi noir ramena Amélie et Aurel en ville. Il les déposa à l'entrée d'une station de métro et ils retournèrent à l'ambassade par ce moyen.

Le métro de Bakou, inspiré de celui de Moscou, est tout en marbre et cuivre. On s'y sent comme dans un musée. D'ordinaire, Amélie aimait le prendre et allait même parfois s'y promener pour le plaisir.

Aujourd'hui, dans cet espace immense et sonore où se croisaient des milliers de gens pressés, elle était étreinte par la peur. On allait peut-être les arrêter d'un instant à l'autre. En descendant les escaliers roulants pour rejoindre le quai du métro, il lui sembla avoir franchi le premier degré d'une prison souterraine qui l'enfouirait à jamais bien plus profondément encore.

Aurel était surtout ennuyé d'avoir provoqué toutes ces complications et d'avoir entraîné

Amélie dans un combat qui risquait de lui coûter sa carrière. Lui n'avait plus rien à perdre. Il avait déclenché tout cela sur une vague intuition, dans le but très égoïste de pouvoir profiter un peu des charmes de ce pays. À mesure qu'il le connaissait mieux, il avait de moins en moins envie d'y rester. Si on l'expulsait, il ne serait finalement pas fâché d'aller traîner ses guêtres ailleurs.

Car Yskandar, avant de les quitter, ne leur avait pas laissé beaucoup d'espoir. Ils ne pourraient rien prouver ni contre Karimov ni contre Carteyron. En revanche, il était clair, vu la manière dont ils s'étaient soustraits à la filature pour le rencontrer, qu'ils n'étaient plus les bienvenus dans le pays. Après l'avertissement qu'avait constitué la garde à vue d'Aurel, ils n'avaient plus aucune excuse pour continuer à suivre des affaires sensibles.

Ils passèrent à l'ambassade car il était à peine dix-sept heures et on ne les y avait pratiquement pas vus de la journée. Aurel espérait vaguement y trouver les sénateurs. Après tout, ils étaient là pour enquêter sur les relations commerciales entre les deux pays. Peut-être y avaient-ils découvert quelque chose de leur côté, à propos du contrat d'Airbus notamment.

Sitôt arrivé dans les bureaux, Aurel entendit les éclats de la forte voix de Gauvinier. Le sénateur descendait de la résidence. Aurel alla se placer près de l'escalier afin de l'intercepter. Gauvinier était accompagné de ses collègues mais l'alcool les rendait silencieux tandis que le Gascon en tirait plus de force encore pour lancer ses exclamations. À l'évidence, ils sortaient de table.

— Aurel, mon ami, hurla le sénateur, en saisissant Timescu par l'épaule. Où étiez-vous passé ? J'ai demandé de vos nouvelles toute la matinée. Vous nous auriez fait très plaisir en nous accompagnant pour ce bon déjeuner.

Il s'engageait dans le grand escalier, en entraînant toujours Aurel avec lui.

— Hier à midi, nous avons rencontré des gens des affaires, vous vous en souvenez. Aujourd'hui, l'Ambassadeur nous a présenté des parlementaires.

Il s'arrêta, une marche en dessous d'Aurel, et, sans lui lâcher l'épaule, lui tapota le ventre avec l'autre main.

— Tout de même, je préfère vous le dire : votre Ambassadeur est un type formidable. Il nous a tout expliqué, notamment pour les grands contrats. Il a fait tout ce qu'il a pu. Mais ce n'est pas commode de traiter avec ces gens-là. Pas commode du tout. Et, en plus de cela, il perd sa femme. Une perle rare, paraît-il. Elle l'aidait et le soutenait. Il l'adorait. Quel malheur, Aurel, vous vous rendez compte ?

Il était au bord des larmes. Heureusement, le vin auquel il avait fait largement honneur lui rendait l'humeur folâtre. Il abandonna le chagrin pour prendre aussitôt une expression égrillarde et, en rapprochant son gros nez du visage d'Aurel, il lui souffla :

— J'aurais bien refait un tour avec vous dans les lieux charmants que vous m'avez fait connaître l'autre nuit. Mais voilà que ce soir, nous sommes invités pour un dîner officiel à la mairie de Bakou. Le maire est un tout proche du Président. On va moins s'amuser, mais quand le devoir nous appelle...

Cahin-caha, ils avaient atteint le hall. Les sénateurs se dirigèrent vers le sas de sortie. Aurel remonta par l'escalier de service. C'est en rentrant dans son cagibi qu'il vit la lettre. Peut-être y était-elle avant et ne l'avait-il pas remarquée, tout à ses idées sombres. Ou peut-être venait-on de la déposer. Il poussa un cri étouffé :

— Non ! Pas ça.

L'écriture était celle de Mylène. L'enveloppe était tout imprégnée de patchouli.

— Quel jour sommes-nous ? Samedi... Non ! Non ! Pas question !

Il avait passé la nuit en garde à vue, la journée à courir des rendez-vous clandestins, et maintenant Mylène et ses rendez-vous galants.

Machinalement, il décacheta la lettre et lut. L'écriture était ronde, appliquée, ridiculement enfantine avec de petits cercles sur les i.

Mon chou,

Note bien mon adresse. Elle est en en-tête de cette lettre. Je t'attends ce soir vers 20 heures. Surtout téléphone-moi si tu as du retard. Je t'ai préparé un dîner dont tu te souviendras mais il ne faudrait pas que ça brûle en t'attendant. (C'est des cailles rôties et un soufflé au potiron : je ne voulais pas te le dire mais autant que tu te fasses à l'idée.)

J'ai trouvé du Tokay. Ça n'a pas été facile mais je sais que c'est ton vin préféré. Il n'y a pas de piano chez moi. C'est bien dommage. Mais comme cela, tu garderas tes deux mains libres. On ne sait jamais...

Aurel interrompit sa lecture et poussa un soupir accablé. Pourquoi se mettait-il dans des situations pareilles ? C'était toujours la même chose avec les femmes. Il n'osait pas assez. Il n'osait pas se déclarer à celles dont il était amoureux. Et il n'osait pas repousser celles qui avaient décidé de le séduire. La situation n'était pas si courante, heureusement, car ce n'étaient évidemment jamais celles dont il avait envie.

Ayant repris quelque force, il acheva la lecture.

> Mon appartement est très bien chauffé. Il est inutile de garder tes bottes (que tu m'as fait rire, hier !). En ce qui me concerne, je ne me couvre pas beaucoup quand je suis chez moi. Tu le découvriras vite.
>
> Je pars en avance pour tout préparer. À très bientôt.
>
> Hmmm !

Suivait un cœur, au cas où le reste n'eût pas été assez explicite.

Aurel chiffonna la lettre et la fourra dans sa poche. Un prétexte, il lui fallait d'urgence trouver un prétexte pour se décommander. Les sénateurs auraient été parfaits ; hélas, ils venaient de lui annoncer qu'ils seraient à l'hôtel de ville. Il chercha autre chose et ne trouva pas. Il resta ainsi près d'une heure, immobile, interdit, les yeux dans le vague. Le sommeil n'était pas loin mais tant d'impressions se bousculaient dans sa tête qu'il n'avait pas besoin de dormir pour rêver. Quand il reprit conscience, il faisait nuit et son bureau était plongé dans l'obscurité. Il sortit dans le couloir, passa devant la porte d'Amélie. Elle était ouverte et le bureau désert. La Consule était certainement au dîner officiel avec les parlementaires.

Au rez-de-chaussée, Aurel croisa Jean-Louis qui devait être dans la confidence, pour Mylène. Le gendarme, assis dans sa guérite, lui fit un clin d'œil et Aurel rougit de honte.

Depuis le matin, il était sans manteau. Il se mit à tomber une pluie fine et glaciale pendant qu'il marchait jusqu'à chez lui. Le froid calma sa rage et fit monter, en même temps que des frissons, une sorte de joie mauvaise.

Quand les ennuis s'accumulent, il vaut mieux en rire. Aurel se sentait comme ces nageurs qu'emportent des courants vers le fond. On leur conseille de ne pas résister et d'attendre que la mer, après les avoir presque noyés, les ramène à la surface.

Autant se laisser aller. Il ne savait quels graves ennuis l'attendaient les jours suivants. Pour l'heure, arriverait ce qui arriverait. Il entra chez lui, ôta ses vêtements, prit une douche. Il se regarda dans la glace. On ne pouvait pas qualifier son corps d'athlétique. Un peu de ventre, des épaules tombantes, un torse maigrichon, sans parler de ses proportions, une tête trop grosse, des bras maigres et des jambes courtes : il fallait déjà s'estimer heureux que tout cela pût encore trouver preneur.

Il alla se verser un verre de blanc à la cuisine puis revint passer une chemise. Il n'avait jamais pu boire tout nu, allez savoir pourquoi.

Après deux verres, il était résigné à tout et il ouvrit sa penderie de bonne humeur. Il commença à sortir des vêtements puis, tout à coup, s'arrêta. L'image de Mylène lui était apparue. Il eut soudain comme un vertige. L'idée de se laisser entraîner par une femme abstraite ne lui était pas désagréable, mais en pensant à Mylène, son ardeur faiblit. Il se souvint qu'à un moment donné, la passivité ne suffirait plus. Il allait falloir la désirer.

À cette pensée, il saisit la bouteille et se servit trois verres coup sur coup.

Il revint farfouiller dans ses habits. Par association de pensée, il en arriva à se souvenir de ce médicament qu'un médecin lui avait prescrit deux ans auparavant, pour le soutenir dans une situation du même genre. Il en retrouva une plaquette dans sa trousse de toilette. Il manquait un comprimé bleu. Il se rappelait avoir en effet essayé une fois. Cela ne lui avait rien fait. Il est vrai qu'il était allé dîner au McDo avant d'écouter, seul dans son canapé, une nouvelle version du Requiem de Mozart. On lui avait dit par la suite que le produit ne faisait effet qu'en situation et il n'avait pas eu l'occasion de l'utiliser. Il remit la plaquette dans sa trousse et cela le rassura de savoir qu'il pourrait prendre un comprimé avant de partir.

Il entreprit ensuite d'essayer diverses tenues. Aucune ne lui convenait. Peu à peu, il se rendit compte qu'à mesure que l'heure approchait il devenait de plus en plus nerveux. Il se décida finalement pour le smoking, celui-là même qu'il avait porté pendant la soirée chez Jean-Louis. Il l'avait fait recoudre par la gardienne. C'était une tenue un peu trop formelle pour une soirée intime, mais, après tout, puisqu'on était dans l'excès, et même la comédie, autant la jouer avec panache. Cette décision le calma un moment mais son anxiété se concentra ensuite sur le nœud papillon. Le noir était plus élégant mais faisait maître d'hôtel, le blanc était un peu taché et il finit par en choisir un à pois verts. Il le jugeait plus gai et propre à faire comprendre à sa partenaire qu'il ne prenait pas tout cela trop au sérieux.

L'heure tournait. Il faisait des allées et venues de plus en plus désordonnées dans l'appartement. Vers dix-neuf heures trente, il jugea que c'était l'heure. Il entra dans la salle de bains sans prendre même le temps d'allumer. Il plongea la main dans sa trousse de toilette, détacha un comprimé de sa plaquette et l'avala en buvant une gorgée au robinet.

Il allait enfiler un manteau quand un appel Skype retentit sur l'ordinateur. C'était Mihna.

— Bonsoir Petit Oncle.

— Bonsoir pour toi, neveu. Ici, c'est le début de l'après-midi.

— Ha ! Ha ! Qu'est-ce qui t'amène ?

— Je voulais savoir si ton affaire d'ambassadeur s'était arrangée…

— Pas vraiment, mais c'est sans importance.

— Ah, dommage. J'avais aussi une autre information. Peut-être es-tu déjà au courant ?

Aurel eut un bâillement profond qu'il essaya de cacher en tournant la tête.

— Voilà, le Engin dont je t'ai parlé, eh bien, Ricardo a retrouvé sa trace. Tu sais, lui, quand on le lance sur une piste, on ne l'arrête plus.

— Oui…

Nouveau bâillement d'Aurel. Il sentait une torpeur monter en lui. Il n'aurait pas dû décrocher. Il avait besoin d'air frais.

— Dis-moi vite, Petit Oncle, il faut que je sorte. On m'attend pour le dîner.

— Voilà, Ricardo a vu sa photo dans le *New York Times*. Engin lui-même, sans aucun doute. Sauf qu'il se présente comme un homme d'affaires du pays où tu es. En ce moment, il est en visite aux États-Unis, pour une histoire de contrat d'avions. Les Américains sont très contents de lui. Et figure-toi qu'il a changé de nom. Il se fait appeler Ka...

— Karimov, je sais.

Cette fois, c'était la vue d'Aurel qui se brouillait. Des mouches vertes vibraient sur l'écran. Et la torpeur se transformait peu à peu en endormissement. Ses jambes vacillaient.

— Ça suffit ! coupa-t-il sèchement, sans aucun égard pour Mihna qui ouvrait de grands yeux.

Aurel referma l'ordinateur d'un coup sec. Il eut tout à coup un doute et se précipita à la salle de bains en titubant. Il alluma tout grand les lumières et fouilla fébrilement dans sa trousse de toilette. Soudain, il comprit tout : il n'avait pas avalé le médicament qu'il avait préparé mais un autre, à peu près de la même forme. C'était un produit qu'il n'avait essayé qu'une seule fois. Il s'en souvenait encore car il était beaucoup trop fort et l'avait terrassé.

— Un somnifère ! bredouilla-t-il en se tenant à une console.

Il visa la porte et d'un bond gagna le salon.

Une dernière pensée lui vint de cailles rôties, de vin ambré et de dentelles. Puis il s'effondra sur le tapis et s'endormit les bras en croix.

XIII

Le plateau, battu par le vent, ressemblait à un décor de western : des ondulations de pierrailles et, au sommet de ces petites collines, un chaos de rochers semés comme des dés par un dieu ivre.

Dans une des combes entre ces reliefs, s'étirait un bâtiment bas en pierre sèche dont on ne savait s'il était abandonné ou s'il n'avait jamais connu un sort meilleur. Des crânes de bovins avec leurs cornes jonchaient le sol.

En suivant la piste dans son 4 x 4, Gilles de Carteyron sentait monter en lui une angoisse à la mesure de ce paysage inhumain. En atteignant l'ancien corral, il se troubla et fit demi-tour. Son pare-chocs heurta un rocher avec un bruit de tôle raclée. Il eut le réflexe d'accélérer, s'égara encore. Tous les embranchements se ressemblaient. Il perdit près d'une heure à tourner en rond. Enfin, il distingua les couleurs vives du site qu'il cherchait. On aurait dit qu'un gigantesque couteau avait étalé sur le sol des tartines d'alluvions rouges, beiges, blanches comme la craie. Le chemin s'enroulait en écharpe autour d'une colline plus haute que les autres. Sur ses flancs, de nouvelles couches de roche avaient l'air de ruisseler. Son sommet tronqué formait comme une bougie naturelle : sa flamme était invisible mais ce qui ressemblait à de la cire chauffée s'écoulait sur les bords.

L'ambassadeur s'inquiétait de ne voir aucune voiture mais la saison était très avancée pour le tourisme et le froid des plateaux devait décourager les visiteurs.

Tout de même, il y avait eu cet appel, ce message laissé par une voix inconnue sur son répondeur.

Il scrutait les lointains et ne distinguait rien. Soudain, quand il approcha du premier cratère, il aperçut un peu plus haut la silhouette d'un homme debout. Il avait dû venir à pied car il n'y avait toujours aucun véhicule en vue dans les environs.

Carteyron, en voyant l'état du chemin plus haut, arrêta son 4 × 4 et décida de s'approcher à pied lui aussi. Par bonheur, il portait une grosse veste qui coupait le vent.

L'homme se tenait de dos. Il était vêtu d'un manteau noir. Il s'était arrêté en bordure d'un cratère de glaise luisante et regardait au fond. Carteyron le héla mais le vent renvoyait le son de sa voix et l'homme ne se retourna pas.

En approchant encore, l'Ambassadeur vit qu'il était coiffé d'un Borsalino en cuir. Il cherchait ce que cela évoquait en lui quand l'homme se retourna. C'était Aurel.

Après un instant de surprise, l'Ambassadeur se rebiffa :

— Vous ! Qu'est-ce qui vous prend de me faire monter ici ? Vous êtes complètement fou.

— Complètement.

Aurel souriait de façon inquiétante et son assurance empêchait l'Ambassadeur de s'emporter comme il en avait envie. Il y renonça d'autant plus vite qu'en approchant d'un pas très lent Aurel lui fit comprendre, en exagérant la bosse que sa main droite dessinait sous son manteau, qu'il braquait peut-être sur lui une arme dissimulée dans sa poche.

Dans le silence qui s'établit éclatait par instants le bruit de succion d'une bulle de gaz crevant une surface liquide.

— Un volcan de boue ! Fascinant, n'est-ce pas ? Vous savez que nous avons presque les mêmes en Roumanie ? Malheureusement, chez nous, il n'y a pas de pétrole dessous.

— C'est pour me faire un cours de géologie que vous m'avez convoqué ici ?

— Je ne vous ai pas « convoqué ». Je vous ai dit qu'Engin vous attendait. J'étais sûr que cela vous intriguerait. Et que vous viendriez.

L'Ambassadeur s'écarta quand il vit qu'une coulée de boue visqueuse, échappée malicieusement d'un petit cratère secondaire, était en train de tremper ses chaussures.

— C'était un bluff, poursuivit Aurel, et cela pouvait ne pas fonctionner. Mais, au point où j'en suis, je n'avais plus rien à perdre. Il faut se méfier des gens qui n'ont plus rien à perdre, monsieur l'Ambassadeur. Ils sont capables de tout.

— Ce sont des menaces ?

— Non, c'est la vérité, et vous le savez. D'ailleurs, c'est pour cela que vous allez m'écouter.

Aurel sortit ses deux mains et montra qu'elles étaient vides. Puis il tapota sur ses poches, qui s'aplatirent.

— Le coup du revolver dans la poche, cela marche toujours mais c'est un peu minable, vous ne trouvez pas ?

L'Ambassadeur partit d'un grand rire. Il dura un peu trop pour être naturel. On sentait tout de même qu'il avait peur.

— Si vous voulez que je vous explique tout ça, nous allons nous asseoir, proposa Aurel. Ce sera plus confortable.

— Je suis très bien debout. Nous n'en avons pas pour longtemps, n'est-ce pas ?

Aurel feignit de ne pas avoir entendu.

— À l'intérieur de ce petit cratère, la boue qui s'écoule est visqueuse, vous avez vu ? Mais dès qu'on s'en écarte, elle devient dure comme de la pierre. Faites comme vous l'entendez, mais moi, je vais me poser là. On dirait un siège curule. Quelqu'un a dû mouler son postérieur là-dedans, ma parole.

L'Ambassadeur, pendant le changement de position d'Aurel, avait jeté un coup d'œil en arrière pour évaluer la distance qui le séparait de sa voiture. Il découvrit alors qu'un autre véhicule s'était garé derrière lui sans qu'il l'entende arriver, à cause du vent.

— C'est Amélie, annonça joyeusement Aurel. Tout le corps consulaire de votre ambassade est ici, comme vous le constatez. Elle va rester au volant. La pauvre supporte très mal le froid.

Cette arrivée accrut encore le malaise de l'Ambassadeur. Car, à la folie supposée d'Aurel, s'ajoutaient maintenant le sérieux et la rigueur d'Amélie, et le mélange des deux ne laissait pas d'être explosif.

— Passons au vif du sujet, commença Aurel. Hier, j'ai discuté avec un ami bien informé. Il m'a assuré que vous aviez tué votre femme, avec Karimov comme complice.

L'Ambassadeur ricana.

— Rien que ça !

— Oui. C'est ce que pense mon ami. Et moi, je l'ai pensé aussi. c'est même comme cela que tout a démarré.

— Tout quoi ?

— Mon enquête. Quand vous m'avez si brutalement reçu... Vous vous en souvenez ? La première fois que nous nous sommes vus.

— J'ai fait mon travail. Si vous faisiez le vôtre, je n'aurais pas eu d'objection à vous garder.

— C'est une belle réplique. On la proposera dans les manuels sur l'histoire de la diplomatie française.

Carteyron haussa les épaules.

— En tout cas, reprit Aurel, j'ai cru à votre culpabilité. Et puis, cette nuit, j'ai dormi très profondément. J'ai pris un puissant somnifère. Par erreur, figurez-vous...

L'Ambassadeur leva les yeux au ciel et soupira.

— Il faut dire qu'hier je ne me suis pas ménagé. Bref, quand j'ai ouvert les yeux, je voyais le monde avec des idées neuves. J'étais vierge comme un bébé qui vient de naître.

— Allons, bon !

— Oui, oui, je suis convaincu que vous n'avez pas voulu tuer votre femme.

— Ma femme est morte dans un accident, en faisant son métier de photographe.

— Votre femme a été assassinée et vous le savez, même si cela vous arrange de ne pas y croire.

L'Ambassadeur haussa à nouveau les épaules et fit mine de se détourner.

— Le jour où quelqu'un vous a rapporté son appareil photo qui n'était pas tombé avec elle, vous avez su qu'elle avait été assassinée.

— Assassinée comment et par qui ?

— Par un commando de quatre Iraniens qui l'ont poursuivie puis jetée dans le vide.

Aurel, à cet instant, comprit que, très probablement, Carteyron ignorait ces détails. Il le vit se troubler et un voile de tristesse couvrit un instant son regard.

— La raison pour laquelle je suis certain que vous n'avez pas tué votre femme est très simple :

je suis persuadé que vous comptiez sur elle pour vous sauver.

— Me sauver ! Mais me sauver de quoi ? Je suis perdu, selon vous ?

— Vous êtes tenu. C'est la même chose.

L'Ambassadeur leva les bras au ciel.

— Mon pauvre ami... déplora-t-il. Vous dites n'importe quoi. En fait, je crois que vous êtes un malade.

— Ne m'insultez pas ! Ne vous défendez pas.

Aurel prenait un ton comique de médecin de Molière.

— Surtout ayez confiance : maintenant, c'est moi, je vous l'ai dit, qui viens vous sauver.

— Vous recommencez avec votre idée de sauvetage. Écoutez, cela suffit. J'ai froid, j'ai mal aux jambes, ce volcan pue la chaussette. Et vous êtes en train de me raconter des histoires à dormir debout. Laissez-moi partir.

— D'accord !

Bondissant sur ses pieds, Aurel fit face à l'Ambassadeur.

— Parlons vite. Résumons. Pas un mot de trop. Je vous raconte. À Rio, vous rencontrez un mafieux. Vous vous laissez aller. C'est la revanche sur la vie. Le fric, les paillettes, les médias. Un vrai bonheur. Mais...

Le doigt levé, Aurel marqua un temps :

— Votre femme vous a sauvé avant que ça tourne mal. Merci. Fin du premier acte.

Il leva la main gauche et montra deux doigts.

— Malheureusement, le mafieux ne vous a pas lâché. Il vous suit et vous pousse à venir à Bakou comme ambassadeur. Vous avez dû quitter Rio avec une ardoise chez lui et il vous le rappelle. Vous n'en dites rien à votre femme et la pauvre fait encore jouer ses relations pour vous faire nommer ici, sans savoir, évidemment, que Karimov vous attendait… Ainsi, vous retombez sous la coupe du mafieux qui, entre-temps, s'est offert un nouveau nom et une relative respectabilité.

Deux rapaces, haut dans le ciel, tournoyaient au-dessus d'eux, comme s'ils avaient voulu prendre part, de loin, à la conversation.

— Engin, devenu Karimov, vous offre la grande vie de nouveau. C'est toujours aussi confortable mais vous y prenez moins de plaisir qu'à Rio. Vous avez plus à perdre aussi. Surtout quand il commence à exiger de gros services, des informations sur les contrats. Deuxième acte : vous comptez sur votre femme pour vous sauver une nouvelle fois. Elle vous interroge, vous met en garde. Vous n'osez pas trop lui dire ce que vous faites mais vous espérez qu'elle le découvrira toute seule. C'est la course de vitesse. Entre elle qui débobine les magouilles de Karimov et lui qui vous presse de lui donner le gros tuyau. Ça tient un moment et puis, en l'espace d'un jour, en août dernier, vous perdez tout.

Aurel, un instant, tourna le dos à l'Ambassadeur et fit mine de se perdre dans la contemplation du lointain brumeux de poussière. Puis, d'un coup, il fit volte-face et, bénéficiant de l'effet de surprise qui lui fit écarquiller les yeux, il lança au visage de l'Ambassadeur :

— Karimov vous appelle sur votre portable privé, celui que vous utilisez pour communiquer tous les deux. Il vous apprend, avant tout le monde, que votre femme est morte. Il vous parle de ses contacts au Nakhichevan. Il vous sert la thèse de l'accident. D'un seul coup, vous comprenez que vous êtes seul. Marie-Virginie disparue, plus personne ne vous protégera. Karimov est capable de tout : vous venez d'en avoir la preuve et vous avez peur. Vous n'avez plus d'argument pour refuser de lui livrer l'information qu'il attend. Alors, vous lui confiez le rapport Airbus. Fin du troisième acte. Rideau. La représentation est terminée.

L'Ambassadeur était un peu étourdi par le manège d'Aurel qui tournait maintenant autour de lui.

— Vous vous demandez ce qui s'est passé ? C'est très simple : vous parlez trop. Vous avez raconté à Karimov que c'était votre femme qui vous avait fait rappeler de Rio. Vous lui avez confié un jour qu'elle est en contact avec Yskandar. Pendant que vous parlez, Karimov, lui, il agit.

Aurel sentit le malaise de l'Ambassadeur. Il le saisit par les poignets, le fit tourner et l'assit sur le rebord du volcan.

— Il agit, cela veut dire qu'il comprend que Marie-Virginie est le seul obstacle à votre collaboration complète. Elle a déjà tout fait capoter une fois, au Brésil, et elle est sur le point de recommencer. Alors, il décide de la faire disparaître. Ça se fait assez simplement par ici.

Le court silence qui suivit était destiné à faire pénétrer profondément ces paroles dans l'esprit de l'Ambassadeur. Aurel avait quitté son ton goguenard du début et martelait maintenant chaque mot.

— Il la fait disparaître, vous comprenez ce que cela signifie ? Il la tue. Vous entendez ? Marie-Virginie, la mère de vos enfants. Il la fait précipiter dans le vide. Il l'assassine. Il y a un moment, monsieur de Carteyron, où il faut utiliser les mots exacts. Voir la réalité en face. Vous aimez le flou, vous laissez les choses se faire et vous répugnez à mettre un nom dessus.

L'Ambassadeur remuait les lèvres mais aucun son ne sortait de sa bouche. Aurel baissa les yeux par gêne et pour que l'émotion puisse faire librement son chemin sur le visage du diplomate. Il reprit ensuite la parole, mais sur un ton presque dégagé.

— Je suis sûr qu'entre Karimov et vous il n'y a pas eu un mot sur le sujet. Vous avez fait l'un et l'autre comme si vous étiez convaincus qu'il s'agissait d'un accident. Il a été parfait. Il vous a présenté ses condoléances. Il s'est occupé de rapatrier le corps. Il a fait ce qu'il fallait pour que, grâce à ce deuil, la fuite sur Airbus ne puisse vous être imputée. Et vous, vous l'avez même remercié, n'est-ce pas ?

D'une main nerveuse, Carteyron serrait le col de sa veste et frissonnait.

— Pas un instant, j'en suis sûr, vous n'avez prononcé devant lui le mot « crime ». Vous ne lui avez jamais dit que vous saviez ni que vous en étiez révolté. Vous n'avez rien dit parce qu'il vous tient et que vous êtes comme ça. Mais cela ne vous empêche pas d'être très malheureux. Parce que Marie-Virginie, vous l'aimiez.

Des larmes perlaient au bord des paupières de l'Ambassadeur.

— Vous l'aimiez, à votre manière. Il y a sans doute toute une part de vous qui, depuis toujours, s'est révoltée contre elle et qui se sent soulagée par sa disparition. Mais l'autre partie de votre âme était profondément attachée à elle. Parce que vous saviez que, quoi qu'il arrive, elle vous aimerait et vous protégerait. Avec elle, vous avez perdu votre dernier espoir d'échapper à l'emprise de Karimov. D'ailleurs, je suis sûr que depuis sa mort il est de plus en plus gourmand. Il y a deux contrats en négociation dans le matériel offshore. Ça m'étonnerait qu'il ne vous ait pas demandé de l'aider...

Carteyron pleurait maintenant tout à fait. Les larmes coulaient lentement, comme les filets de boue qui s'échappaient de l'œil gris du cratère. Aurel n'était pas loin de pleurer lui aussi car il ne pouvait rester indifférent devant la peine de quelqu'un.

Après s'être ainsi laissé aller à l'émotion, Aurel se ressaisit et prit un ton d'autorité.

— Marie-Virginie n'est plus là aujourd'hui pour vous sauver mais rassurez-vous : c'est moi qui vais m'en charger.

— Vous !

Carteyron n'aurait pas cru pouvoir sourire et pourtant, en regardant ce petit bonhomme qui parlait avec emphase, il sentit monter en lui une gaieté inattendue.

Mais Aurel n'entendait pas abandonner son sérieux.

— Oui, moi ! confirma-t-il en bombant le torse. Je vous l'ai dit, je n'ai rien à perdre.

L'Ambassadeur se souvint tout à coup de la présence d'Amélie dans la voiture et ce détail le fit regarder Aurel autrement.

— Je sais qu'on ne peut rien prouver. Le rapport d'Airbus, les détails du crime, vos liens avec Karimov, tout cela est bien protégé et toute personne sensée renoncerait à attaquer sur des bases aussi fragiles. Pas moi.

Il regarda vers le cratère et parla comme s'il était hypnotisé par le spectacle des bulles qui arrivaient des profondeurs de la Terre.

— Je n'ai, encore une fois, rien à perdre. La justice me donnera tort. L'administration me sanctionnera. Mais les médias, eux, seront preneurs. Un ambassadeur corrompu qui laisse assassiner sa femme ! Un plat de choix, pensez donc, à l'époque de MeToo et des Gilets jaunes.

Le chagrin avait totalement quitté le visage de l'Ambassadeur pour laisser place à une expression d'épouvante et de supplication.

— Vous ne feriez pas ça…

— Bien sûr que si, je le ferai. Et Amélie m'y aidera car elle est aussi révoltée que moi. Vous avez peur, n'est-ce pas ? C'est ce qu'il faut. Car vous n'êtes jamais si bon que quand vous agissez sous l'empire de la crainte.

— Agir ? Mais comment ?

Aurel, d'un coup, se redressa, tira sur les pans de son manteau pour en ôter les plis et se donner une silhouette militaire.

— Croyez-vous que Karimov soit aussi puissant qu'il le prétend ?

L'Ambassadeur releva la tête avec une expression de surprise.

— Que voulez-vous dire ?

— Vous pensez qu'il fait partie du premier cercle du pouvoir dans ce pays… ?

— C'est ce que tout le monde dit.

— Tout le monde le dit parce qu'il se donne beaucoup de mal pour le faire croire. Et vous, monsieur l'Ambassadeur, vous aimez bien prêter aux riches. Il faut dire que c'est votre métier. Vous faites preuve d'une révérence naturelle à l'égard de quiconque fait étalage des signes extérieurs de la puissance.

Carteyron était si affecté par les révélations d'Aurel sur le meurtre de sa femme qu'il n'eut même pas l'énergie de protester.

— Dans mon enfance, en Roumanie, j'ai appris beaucoup de choses sur les sociétés de cour. Dans l'entourage des princes, il n'y a pas de pouvoir solide. Celui de Karimov est très fragile. C'est bien pour cela qu'il doit coûte que coûte enregistrer des réussites. Il est prêt à tout pour cela. Même à tuer. Ce n'est pas un signe de puissance mais de grande faiblesse.

L'épreuve de force était terminée. Aurel parlait sur un ton naturel et l'ambassadeur l'écoutait, soumis par avance à ses propositions.

— Demandez rendez-vous à la présidence. Si vous ne voyez pas le Président lui-même, vous aurez au moins accès à sa garde rapprochée. Dites-leur tout.

— Tout !

— Oui. Tout ce que je viens de vous apprendre et qu'au fond de vous vous saviez déjà. Le piège tendu à votre femme, le rôle de Karimov, votre propre faiblesse et l'histoire du rapport Airbus.

— Mais...

— Ils n'aimeront pas cela, c'est sûr. Et comme vous ne pourrez rien prouver, ils feront mine de s'indigner et ils vous sanctionneront. Ils demanderont votre rappel et vous perdrez votre ambassade. Mais vous en serez quitte pour quelques mois à Paris.

— À quoi cela servira-t-il ?

— À faire justice !

Le chef de poste haussa les épaules, d'un air accablé.

— Justice...

À cet instant, Aurel bondit vers lui et, rompant le charme de ce qui devenait une conversation, reprit un ton indigné et presque prophétique.

— Oui, justice. Car, croyez-moi, les autorités suprêmes de ce pays sont trop soucieuses de leur respectabilité internationale, trop désireuses d'entretenir de bonnes relations avec l'Europe pour tolérer qu'un petit mafieux qui cherche à se glisser jusqu'au sommet, mais qui en est encore loin, commette des crimes sur des étrangers et de surcroît sur la femme d'un ambassadeur.

Puis, en se reculant, il ajouta d'une voix douce et en détournant le regard :

— Marie-Virginie, hélas, ne reviendra pas. Mais elle ne sera pas morte pour rien.

La scène avait quelque chose de fantastique. Ces deux hommes mûrs face à face, silencieux, aussi émus l'un que l'autre, dans une immensité aride où le sol, comme la palette mal nettoyée d'un peintre, broyait ses ocres et ses terres et les étalait en grands à-plats soyeux. Carteyron, élégant, soigné, était affaissé dans son siège de boue à peine sec qui maculait de noir sa veste de prix. Aurel, tout chiffonné, laissait absurdement dépasser de son manteau noir élimé un papillon à pois, noué la veille au soir autour de son cou pour une femme qu'il ne désirait pas.

Une bulle plus grosse et plus sonore creva à cet instant à la surface du bassin de boue. Les deux hommes se tournèrent dans la direction du bruit puis ils se regardèrent.

Aurel était effrayant de sérieux et de folie. Il était impossible de douter qu'il mît ses menaces à exécution. Il tendit la main vers l'Ambassadeur. Celui-ci la contempla d'abord, hagard, hypnotisé par le reflet cuivré que le henné avait laissé sur la peau.

Puis soudain, rassuré comme il avait toujours aimé l'être par la force qui le tenait en son pouvoir, Carteyron se leva et saisit la main qu'Aurel lui tendait.

Comme les paysans de naguère, ils n'eurent pas besoin de dire un mot pour que leur accord fût scellé.

Épilogue

L'hiver était venu et avec lui des odeurs de naphte, qui traînaient dans les rues. Était-ce pour cela qu'Aurel remarquait davantage les derricks ? Il n'y en avait pas seulement dans la zone côtière. On en trouvait partout, certains isolés, plantés au milieu de petits jardins privés. Nuit et jour, ils secouaient depuis des décennies leur grosse tête aveugle. On comprenait comment le pétrole avait pu jadis enrichir des paysans qui, d'un coup de pioche, voyaient l'or noir jaillir dans leur champ. L'histoire de cette ville était celle de ces malheureux, élevés pour un labeur ingrat et qui, en un instant, moissonnaient une surabondante récolte d'or. Ils pouvaient tout acheter mais ne voyaient rien de désirable autour d'eux. Il fallait aller ailleurs pour convertir l'argent en plaisir, copier, copier toujours ce que d'autres avaient inventé.

Ces nouveaux riches revenaient chaque fois avec des innovations qu'ils portaient comme des habits trop grands pour eux. Paris, Londres, New York, aujourd'hui Singapour ou Shanghai leur servaient de modèle. L'ogre de la modernité dévorait tout. Aurel allait souvent flâner à la lisière de ces mondes, dans les marges de la ville, comme dans la ruelle où il avait rencontré Yskandar. Ces endroits portaient encore la mémoire du désert qu'Alexandre Dumas, à sa grande horreur, avait traversé en 1857. Mais, à portée de voix, la grande battue des grues et des bulldozers faisait fuir les fennecs et les scorpions pour recouvrir le sol de l'asphalte retiré de ses profondeurs.

De ces lieux incertains Aurel avait tiré une aversion grandissante pour la ville et pour le pays. Il ne retrouvait plus le plaisir qu'il avait connu en arrivant, du fait de la nouveauté sans doute. Le paradoxe était que les bouleversements survenus à l'ambassade avaient suspendu les procédures de rappel entamées contre lui. Il était peu probable que la DRH du Quai prenne l'initiative d'une mesure disciplinaire car le départ précipité de l'ambassadeur Carteyron avait frappé de nullité les demandes de mutation formulées à l'encontre du consul adjoint.

Personne, sauf Aurel et Amélie, n'avait compris les raisons de ce rappel immédiat d'un ambassadeur auquel tout le monde prêtait d'éminentes qualités professionnelles. Cette décision avait été prise à Paris sous la pression des autorités azerbaïdjanaises. Il se disait que le diplomate avait formulé d'imprudentes critiques sur des questions touchant les droits humains et que cela avait déplu au plus haut sommet de l'État. Les responsables des affaires étrangères françaises avaient vu dans cette exigence un caprice de pouvoir autoritaire. Carteyron n'en fut pas pénalisé, au contraire. Il se disait à Paris qu'il était en bonne place pour occuper le poste de représentant français auprès de l'OTAN lors du prochain mouvement diplomatique.

Personne n'avait fait le lien entre le rappel de l'ambassadeur de France et une affaire intérieure qui avait défrayé la chronique pendant plusieurs semaines. Une vaste opération anti-corruption menée par le régime à grand renfort de déclarations médiatiques avait entraîné la chute de plusieurs personnages puissants. Le plus en vue d'entre eux était un oligarque nommé Karimov. Il fut accusé de fraude fiscale et impliqué dans divers scandales. Il tenta de fuir mais fut incarcéré dans la prison souterraine où il était toujours en attente de son procès.

Aurel n'était pas retourné au bureau jusqu'au départ de l'Ambassadeur. Il préférait ne pas le rencontrer. S'il avait trouvé en lui, sur le volcan de boue, les ressources d'indignation nécessaires pour affronter Carteyron, il était affolé, maintenant qu'il était revenu à la normale, à l'idée de s'exposer à sa brutalité.

Il avait aussi l'espoir que son absence donnerait à Mylène le temps de se calmer. Lorsqu'il la croisa, elle ne dit pas un mot, se contentant d'afficher sur son visage un mélange assez artistiquement dosé de désespoir, de colère et de dignité. Jacline et elle avaient obtenu d'échanger leurs postes. Le premier soin de Jacline, en prenant ses fonctions au consulat, avait été d'entrer dans le cagibi d'Aurel, de le gifler et de repartir sans dire un mot.

Heureusement, le temps mit du baume sur les plaies de Mylène. La cicatrisation fut d'autant plus rapide qu'un nouveau groupe de gendarmes arriva pour remplacer Jean-Louis et son collègue. Il y avait parmi eux un solide Réunionnais divorcé depuis peu. Mylène, assistée de Jacline, se dirigea vers lui avec la détermination de Sir Edmund Hillary et du Sherpa Tensing à l'assaut de l'Everest.

Un autre des désagréments de la situation nouvelle était qu'Aurel se sentait pour la première fois moralement obligé de travailler. Il était trop redevable à Amélie pour refuser les dossiers qu'elle lui confiait ni même pour les planter comme il savait si magistralement le faire. Il s'escrima pendant de longues heures sur des affaires microscopiques concernant la mutuelle des expatriés français, des authentifications de documents ou le montant des bourses accordées aux étudiants azéris partant pour la France. Comble de l'abnégation, il dut accepter des astreintes le week-end et même se munir du portable de service. Il le laissait posé sur une table en le regardant avec méfiance, comme s'il se fût agi d'un animal nuisible.

Hélas, il y eut pire que la présence d'Amélie et les devoirs auxquels elle l'astreignait moralement. Ce fut son départ, qui laissa Aurel désemparé et comme orphelin. Ils avaient fini par bien se connaître. Amélie s'était peu à peu confiée. Elle partait pour l'ambassade de France à Tunis, et Aurel comprit qu'elle avait demandé ce poste pour y rejoindre une amie chère. Il n'osa cependant jamais lui demander quelle avait été la nature exacte de ses relations avec Marie-Virginie de Carteyron. Cela, au fond, importait peu. Il était évident qu'il s'agissait d'amour, quelle que fût la forme qu'avait prise ce sentiment.

Amélie fut remplacée par un consul sexagénaire qui avait bu pendant longtemps la tisane d'amertume des bureaux parisiens. Il était arrivé

remonté contre Aurel, ce qui avait immédiatement provoqué de la part de celui-ci l'arrêt de
toute activité. Il avait multiplié les congés maladie grâce à des certificats de complaisance. Il les
avait passés chez lui, terminant l'écriture de son
oratorio par un adagio aux accents tragiques.

D'autres événements contribuèrent à accroître
l'antipathie d'Aurel pour un poste qu'il avait
d'abord adoré.

La surveillance dont il était l'objet perdura. Il
était persuadé qu'il l'avait due d'abord à Karimov,
à cause des bavardages de Carteyron. Mais, depuis
lors, ce qui était au départ une démarche privée et
préventive était devenu une mesure policière,
compte tenu de ses liens avec Yskandar. Aurel ne
l'avait pourtant jamais revu. Il apprit son arrestation par la presse. Le journaliste était inculpé de
haute trahison : il aurait été impliqué dans un
trafic d'armes à destination des partisans arméniens du Karabakh. Aurel pensa souvent à lui. Le
souvenir de son bref passage dans la prison souterraine lui donnait une idée de ce que devait endurer
cet homme. Il s'étonnait de le considérer comme
un ami, alors qu'ils s'étaient vus si peu de temps.
Mais son humanité, son courage l'avaient frappé.

À ces questions graves s'en ajoutèrent deux
autres, plus légères, mais dont les conséquences
sur le moral d'Aurel ne furent pas moindres.

Tout d'abord, il reçut une caisse de Tokay. Une seule, parce que les autres, victimes d'on ne savait quelle complication administrative, étaient restées bloquées en douane. Il y avait des chances pour qu'elles subissent le même sort que la célèbre Rolls-Royce, séquestrée depuis trente ans. Hélas, cette seule caisse avait été suffisante pour faire naître chez Aurel une immense nostalgie. Le Tokay, fût-il chaud comme en Afrique, était à cent coudées au-dessus des blancs d'Azerbaïdjan dont il s'était jusque-là contenté. Si bien que, quand il eut bu la dernière bouteille de la précieuse caisse, il était resté orphelin. Il s'était senti aussi malheureux qu'un Bédouin assoiffé atteignant un puits dans le désert, pour découvrir, hélas, que son eau était saumâtre.

L'autre préjudice qu'il eut à subir fut l'affaire du piano. Quand il devint clair qu'Aurel ne serait pas rappelé, les services du Quai d'Orsay firent enfin partir son déménagement. Le seul objet qui lui tenait à cœur était ce piano droit au son de bastringue mais qui avait accompagné sa vie. Il le reçut avec des larmes de joie. Malheureusement, elle fut brève. En quelques jours l'instrument tomba malade. Malgré la consultation des meilleurs spécialistes locaux, il fut impossible de déterminer pourquoi ce piano ne s'adaptait pas au climat de Bakou. Il gonflait, se déformait, sa table d'harmonie était sur le point de se fendre. Toutes les tentatives pour l'accorder étaient mises en échec au bout de quelques jours. D'aucuns y virent l'effet de l'air salé venu de la Caspienne, d'autres du chauffage central de l'immeuble d'Aurel, d'autres encore accusèrent la période pendant laquelle il avait été stocké avant son acheminement. Aurel, lui, était secrètement persuadé que ce piano, qu'il voyait comme son double, exprimait un rejet du pays tout à fait comparable au sien. Dans sa souffrance, l'instrument lui délivrait un message. Un soir qu'ils étaient seuls tous les deux, Aurel fit le serment à son piano d'écouter ses doléances muettes et d'en tirer toutes les conséquences.

Avant que les circonstances fussent favorables, il eut à attendre quatre longs mois. Son seul plaisir était de travailler trois fois par semaine avec Layla pour préparer un petit récital de musique de chambre. Son piano était malheureusement si mal en point qu'ils devaient se rencontrer dehors et utiliser un autre instrument. Ils élurent domicile chez une dame âgée qui habitait sur le boulevard, en face de la célèbre double porte de la citadelle. Aurel était assez jaloux de voir que le piano de cette ancienne professeure de musique avait traversé deux guerres mondiales (elle le tenait de ses parents) sans quitter la ville et restait en parfaite santé.

Ils invitèrent une dizaine de personnes, pour la plupart des amis de Layla et de sa sœur, le premier jour du printemps et leur proposèrent une soirée autour de Schumann, Chopin et Beethoven. Ce fut un événement très gai. Aurel en ressentit une grande joie, mêlée cependant d'un peu de nostalgie. Car le moment avait pour lui et sans doute pour lui seul le goût amer des adieux.

Le nouvel ambassadeur arriva quinze jours plus tard. Il avait certainement pris contact avec Carteyron, son prédécesseur malheureux, et, en tout cas, le premier soin du Consul avait été de se plaindre d'Aurel. L'acte d'autorité inaugural du nouveau chef de poste fut, comme il se doit, de le convoquer.

Le printemps était déjà bien là. Le vent, qui ne cessait jamais à Bakou, prenait une suavité nouvelle et se chargeait d'un parfum de fleurs recueilli dans les vergers. Cependant, aucune de ces séductions ne pouvait faire revenir en Aurel ses enthousiasmes de l'année précédente. Il se rendit à l'ambassade à pied, comme chaque matin, mais en faisant un long détour par le premier jardin établi au Moyen Âge au pied des remparts. La terre, disait-on, y avait été apportée sac après sac par les marins. Ils avaient obligation de payer un impôt en humus, s'ils voulaient accoster dans le port.

Il s'arrêta un moment pour contempler la mer et s'assit sur un banc. C'est en partant qu'il vit briller quelque chose dans le parterre devant lui. Il s'approcha et reconnut un gros scarabée. Il pensa à Petit Oncle et, avec précaution, le saisit et le mit dans sa poche.

La veille, il avait reçu une carte à l'en-tête du Sénat. Elle était signée par ces mots : votre ami Gauvinier. Le parlementaire remerciait chaleureusement Aurel pour son aide. Il la plia et la glissa dans son portefeuille. On ne pouvait jamais savoir ce que réservait l'avenir et un tel soutien pouvait lui être utile un jour.

À l'entrée de l'ambassade, Aurel salua le nouveau gendarme, monta l'escalier de service sans plus se désoler de sa vétusté. Dans la salle d'attente de la chancellerie, sur le guéridon central, les photos de Marie-Virginie avaient disparu. Aurel eut une pensée pour elle. Il avait l'impression de l'avoir connue longtemps et, en effet, elle avait partagé sa vie, alors qu'il ne l'avait jamais rencontrée.

Il y songeait avec mélancolie quand la femme à tout faire d'Azelma vint le chercher pour l'introduire chez l'ambassadeur.

En entrant dans la pièce, il vit que le bureau avait changé de place. Ces minuscules déménagements sont souvent utilisés par les nouveaux chefs de poste pour montrer leur pouvoir, avant de prendre conscience qu'ils n'en ont pas beaucoup d'autres.

Aurel reconnut tout : les canapés fatigués, les tableaux sinistres et, derrière le bureau, la mimique irritée de l'homme qui faisait semblant d'écrire. Il prit une chaise et s'assit. L'Ambassadeur releva la tête.

— Qui vous a permis ?...

Le nouveau maître des lieux était bien différent de Carteyron : sec, le cheveu dru et bouclé autour d'un front dégarni.

— Personne, je sais...

— Dans ce cas, veuillez rester debout et écouter ce que...

— Monsieur l'Ambassadeur, souffla Aurel sans se lever.

— Quoi donc ?

— Ne vous fatiguez pas. Je sais déjà ce que vous allez me dire. Eh bien, je suis d'accord !

Le chef de poste ne s'était pas attendu à cela. Il cherchait une réplique qui préservât sa dignité mais il n'en trouva pas.

— Si vous me gardiez, je ne ferais que vous attirer des ennuis. Vous connaissez ma réputation. Elle est au-dessous de la vérité.

— Où voulez-vous en venir ?

— Au même point que vous.

— C'est-à-dire ?

— Mettez-moi à la porte. Demandez au Quai de me rappeler. Débarrassez-vous de moi.

Pendant le silence qui suivit, ils se regardèrent. Aurel souriait et l'Ambassadeur ne parvenait pas à soutenir son regard. Pour ne pas avoir l'air de le provoquer, Aurel baissa les yeux. À cet instant, il sentit quelque chose bouger dans sa poche. Il y plongea la main et en tira le scarabée.

Il joua avec un instant puis le posa sur le bord du bureau. Les deux hommes gardaient les yeux fixés sur l'animal qui allait et venait sur la surface vernie.

— Faites la même chose, dit Aurel en souriant.

Et, comme l'Ambassadeur ne comprenait pas, il ajouta avec un grand sourire :

— Libérez-moi.

Sauver Ispahan, Gallimard, 1998 ; Folio, 2000 ; 2014.

L'Abyssin, Gallimard, 1997. Prix Méditerranée et Goncourt du premier roman ; Folio, 1999, 2014 ; Écoutez lire, 2004, 2012.

Essais

Un léopard sur le garrot, chroniques d'un médecin nomade, Gallimard, 2008 ; Folio, 2009.

L'Aventure humanitaire, Découvertes Gallimard, 1994.

La Dictature libérale, Lattès, 1994. Prix Jean-Jacques Rousseau. Hachette Pluriel, 1995.

L'Empire et les nouveaux barbares, Lattès, 1991 ; Hachette Pluriel, 1992.

Le Piège humanitaire. Quand l'aide humanitaire remplace la guerre, Lattès, 1986 ; Hachette Pluriel, 1993.

Collectif

Africa America, en collaboration avec Christian Caujolle et Philippe Guionie, Diaphane, 2011.

Regards sur le monde : les visages de la faim, en collaboration avec Isabelle Eshraghi, Brigitte Grignet, Jane Evelyn Atwood et al., Acropole, 2004.

Mondes rebelles, en collaboration avec Arnaud de La Grange et Jean-Marie Balencie, Michalon, 1999 ; 2001.

Les Économie des guerres civiles, en collaboration avec François Jean, Hachette Pluriel, 1996.

Cet ouvrage a été mis en pages par

CET OUVRAGE
A ÉTÉ ACHEVÉ D'IMPRIMER
SUR ROTO-PAGE
PAR L'IMPRIMERIE FLOCH
À MAYENNE EN MARS 2020

N° d'édition : L.01ELIN000487.N001. N° d'impression : 95929
Dépôt légal : mars 2020
(Imprimé en France)